Keine Panik!

Begleitheft zum Hörspiel
mit Arbeitsblättern und Unterrichtsvorschlägen

von Angelika Raths

Langenscheidt

Berlin · München · Wien · Zürich · New York

Illustrationen: Lian Ong
Layout: Jürgen Bartz
Umschlaggestaltung: Jürgen Bartz, unter Verwendung einer Zeichnung von Lian Ong
Redaktion: Hedwig Miesslinger

Zu   diesem Buch gehören:
2 Audiocassetten ISBN 3-468-**49816**-0

KEINE PANIK! folgt der neuen Rechtschreibung
entsprechend den amtlichen Richtlinien.

Druck: 5.   4.   Letzte Zahlen
Jahr: 2001   maßgeblich

© 1997 Langenscheidt KG, Berlin und München

Druck: Druckhaus Langenscheidt, Berlin
Printed in Germany • ISBN 3-468-**49815**-2

Inhalt

1. Informationen zu KEINE PANIK!

2. Arbeitsblätter (Kopiervorlagen)

3. Arbeitshilfen mit Hörtexten

1. Informationen zu KEINE PANIK!

1.1 Was ist KEINE PANIK!?

KEINE PANIK! ist ein Unterrichtspaket zum Training von Hörverständnis im Fach Deutsch als Fremdsprache für Anfänger und Fortgeschrittene im Alter von Jugendlichen ab etwa 14 Jahren.
KEINE PANIK! ist eine Ergänzung zum eingeführten Lehrwerk oder Unterrichtsmaterial, ein Modul für mindestens zehn Unterrichtsstunden.

Zum Paket gehören:

- 1 Audiocassette bzw. CD mit dem Hörspiel KEINE PANIK! in 15 Folgen
- 1 Audiocassette bzw. CD mit ergänzenden Hör- und Nachsprechübungen
- 1 Begleitheft mit:
  - genauer Beschreibung der unterrichtlichen Arbeitsschritte
  - Arbeitsblättern (als Kopiervorlagen)
  - Antwortschlüsseln und Transkriptionen aller Hörtexte

1.2 Warum KEINE PANIK!?

Hörverständnistraining war lange Zeit ein Stiefkind des Fremdsprachenunterrichts. Seit der Einführung kommunikativer Ziele ist es zu einem tragenden Grundpfeiler des Curriculums geworden. Schließlich kann niemand ein Gespräch führen, ohne zu verstehen, was der andere sagt.
Will man Hörverständnis für reale Kommunikationssituationen üben, braucht man Hörtextmaterial, das die Fremdsprache so authentisch wie möglich präsentiert und gleichzeitig dem sprachlichen und geistigen Niveau der Lerngruppe angepasst ist.
Nicht alle Lehrwerke bieten Hörtexte. Und wenn, dann ist das Material nicht immer wirklichkeitsnah, motivierend oder altersgemäß. Vor allem für Lernerinnen und Lerner, die nicht mehr im Kindesalter sind, müssen Texte häufig eine Kluft überbrücken zwischen dem persönlichen Entwicklungsniveau und der (relativ geringen) fremdsprachlich-kommunikativen Kompetenz.
KEINE PANIK! will diese Lücke schließen.
Das Hörspiel ist speziell für den Fremdsprachenunterricht geschrieben. Es variiert Basiskommunikationssituationen und greift dabei zurück auf den Grundwortschatz.

Das Hörspiel erzählt in 15 in sich abgeschlossenen Folgen die Begegnung von Nina und Leo, zwei jungen Erwachsenen im Alter von 16 und 19 Jahren.
Situationen und Sprachhandlungen aus dem Alltag fügen sich zu einer unterhaltsamen Story, in der Jugendliche und junge Erwachsene sich wiedererkennen können. Die Dynamik der Geschehnisse sorgt dafür, dass man von Folge zu Folge wissen möchte, wie's weitergeht.

1.3 Für wen ist KEINE PANIK!?

KEINE PANIK! ist abgestimmt auf die Lebenssituation von jugendlichen Lernerinnen und Lernern (ab etwa 14 Jahren).
Erste Basiskenntnisse im Sinne von einigen Wochen Deutschunterricht sind notwendig. Eine obere Leistungsgrenze gibt es nicht. Auch für fortgeschrittene Lernerinnen und Lerner bleibt das Hörspiel eine Herausforderung.

Wann der geeignete Zeitpunkt für Ihre Lerngruppe ist, können Sie beim Überfliegen des Materials am besten selbst beurteilen. Bitte berücksichtigen Sie dabei, dass das Lernziel nicht vollständiges Textverständnis ist, sondern globales und selektives Verstehen. Der Schwierigkeitsgrad wird nicht in erster Linie vom Text, sondern von der dazugehörigen Aufgabenstellung bestimmt.

Für fortgeschrittene bzw. leistungsstärkere Lernerinnen und Lerner sind auf den Arbeitsblättern Zusatzfragen mit einem * gekennzeichnet.

1.4 Wie integrieren Sie KEINE PANIK! in Ihr Arbeitsprogramm?

Dank kopierfertiger Arbeitsblätter und genauer Arbeitsanweisungen kann das Material ohne nennenswerte Vorbereitung im Unterricht eingesetzt werden.

Die Zeitinvestition im Unterricht ist flexibel und kann den eigenen Arbeitsumständen angepasst werden. Das gesamte Hörspiel dauert etwa eine Stunde. Die Länge der einzelnen Folgen steigert sich im Laufe der 15 Folgen von zwei auf etwa acht Minuten.

Die Arbeit am Hörspiel in der didaktischen Basisversion (entsprechend den Instruktionen auf den Arbeitsblättern und ohne vertiefende Hör- oder Ausspracheübungen) beansprucht etwa 10 Unterrichtsstunden. Um ein systematisches Training sicherzustellen, empfiehlt es sich, der unter 1.6 beschriebenen Arbeitsweise zu folgen. Gehen Sie pro Folge von den folgenden **Mindestarbeitszeiten** aus:

Folge 1, 2, 3	– 15 Min.	Folge 8, 9	– 25 Min.
Folge 4, 5	– 20 Min.	Folge 10, 11, 12, 13	– 30 Min.
Folge 6	– 25 Min.	Folge 14, 15	– 35 Min.
Folge 7	– 20 Min.	Lied „Susanne"	– 15 Min.

(Wenn Sie sich dafür entscheiden, bei den längeren Folgen (diejenigen mit Unterbrechungen) jedes Fragment zweimal vorzuspielen, müssen jeweils 5 bis 10 Minuten mehr gerechnet werden.)

Insgesamt nimmt die Arbeit mit KEINE PANIK! also nicht viel der häufig knapp bemessenen Unterrichtszeit in Anspruch. Sollten aber selbst die Mindestarbeitszeiten Ihren Spielraum überschreiten, können Sie sich zur Not darauf beschränken, einige (oder alle) Hörspielfolgen ohne weitere didaktische Bearbeitung einfach vorzuspielen, z B. am Ende einer Stunde. So geben Sie Ihren Lernerinnen und Lernern zumindest die Möglichkeit, gesprochenes Umgangsdeutsch – in unterhaltsamer Form – zu hören, und nutzen das Material zur Auflockerung Ihres Unterrichts.
Die reine Spieldauer der einzelnen Folgen ist auf dem Cassetten-Inlay und zu Beginn der jeweiligen Arbeitshilfe angegeben.

Sie können KEINE PANIK! als geschlossenes Kompaktprogramm anbieten oder über einen längeren Zeitraum verteilen. Lassen Sie dabei aber möglichst nicht mehr als 2-3 Wochen zwischen der Behandlung der einzelnen Folgen verstreichen, sonst geht der motivierende und didaktische Effekt des zusammenhängenden Hörspiels verloren.

Auch wenn Sie aus technischen Gründen im Unterricht keine Möglichkeit haben, Hörcassetten abzuspielen, können Sie KEINE PANIK! einsetzen. Überall, wo privat Walkmans oder Cassettendecks zur Verfügung stehen, kann das Material auch zu Hause in Form eines binnendifferenzierten Förderunterrichts erarbeitet werden.
Besonders gut geeignet zur selbständigen, individuellen Arbeit außerhalb des schulischen Unterrichts ist das ergänzende Material auf Cassette 2. „Sprachelemente und Variationen" sind ein un-

verbindliches Zusatzangebot und gedacht als vertiefende Hörverständnisübung. Sie können darüber hinaus auch zum Aussprachetraining genutzt werden.

Wer mit KEINE PANIK! auch andere kommunikative Fertigkeiten üben will, wie z.B. Sprechen oder Schreiben, findet Anregungen dazu unter 1.7.

1.5 Welche Ziele hat KEINE PANIK!?

KEINE PANIK! will Ihnen helfen, die folgenden Ziele zu erreichen:

➤ Lernenden die Gelegenheit bieten, umgangssprachliches Deutsch in Alltagssituationen junger Erwachsener zu hören

Das Hörspiel präsentiert häufig vorkommende Situationen und Sprachhandlungen des Alltags: sich begrüßen und verabschieden, sich oder andere vorstellen, etwas kaufen, telefonieren, nach jemandem fragen, jemanden einladen, eine Einladung annehmen oder ablehnen, etwas beschreiben, nach der Zeit / dem Weg fragen, sich entschuldigen, sich verabreden, Meinungen oder Gefühle äußern. Der Wortschatz ist einfach. Er besteht vor allem aus dem Basiswortschatz (häufig vorkommende Verben, Fragewörter, Zahlen, Farben …).

Die Dialoge werden in der Umgangssprache geführt (um die Lesbarkeit zu erleichtern, sind die Transkriptionen in der Schriftsprache gefasst). Was bedeutet das?

Gesprochene Sprache, insbesondere Umgangssprache, hält sich nicht immer an die Regeln der offiziellen (Schul-)Grammatik: Endungen werden verschluckt, Wörter verändert (nein = nee, hast du = haste …), Begriffe und Wendungen werden benutzt, die manchmal nicht einmal im Wörterbuch stehen („Ach, du dickes Ei!"). Menschen sprechen undeutlich, vielleicht sogar mit dialektaler Färbung. Was jemand sagt, kann gestört werden durch Nebengeräusche oder dadurch, dass mehrere Personen durcheinander reden. Das ist die lästige Realität der lebendigen Fremdsprache. Kommunikativer Unterricht sollte darauf vorbereiten.

Dafür müssen Hörtexte so authentisch wie möglich sein. Sie sollten die Lernenden konfrontieren mit den Frustrationen der realen Hörsituation, sodass Strategien entwickelt werden können, um damit fertig zu werden.

Um die Lernenden nicht zu überfordern, sind längere Folgen mit einem akustischen Signal in kürzere Einheiten untergliedert.

Was den Schwierigkeitsgrad eines Textes aber vor allem bestimmt, ist nicht der Text selbst, sondern die Aufgaben, die dazu gestellt werden. Es kann schwieriger sein, einen makellos deutlich gesprochenen Text Wort-für-Wort zu verstehen, als einen umgangssprachlichen Dialog global zu erfassen. Globalverständnis ist ein wichtiges Lernziel im kommunikativen Unterricht. Leider zeigt die Praxis, dass es vielen Lehrenden und Lernenden schwer fällt, sich von dem Anspruch zu lösen, dass jedes Wort verstanden werden muss.

Im Allgemeinen werden Schwierigkeiten, authentische Texte zu verstehen, eher in Kauf genommen, wenn der Text als interessant erfahren wird. Das stellt Anforderungen an die Attraktivität authentischer Hörtexte. Darum war der Unterhaltungswert ein wichtiger Faktor im Konzept von KEINE PANIK!.

➤ Die Angst vorm Verstehen von authentischem Deutsch abbauen

KEINE PANIK! ist nicht nur die Parole von Nina und Leo in den Turbulenzen ihres Alltags. KEINE PANIK gilt auch als Motto fürs Verständnis von authentischem Deutsch. KEINE PANIK bei unbekannten Wörtern und Wendungen, bei undeutlicher Aussprache, verschluckten Endungen und Nebengeräuschen! Die Ruhe bewahren und versuchen, den roten Faden zu erfassen oder selektiv das herauszuhören, was in der jeweiligen Situation wichtig ist. Diese Fähigkeiten sind unerlässlich im natürlichen Hör- und Kommunikationsprozess. Wie verhelfen wir den Lernenden zu mehr Gelassenheit beim Hörverstehen?

Bei der Arbeit an Texten richtet sich die Aufmerksamkeit meist vor allem auf das, was noch nicht verstanden worden ist. Wir möchten Sie bitten, beim Besprechen der Hörverständnistexte den Nachdruck auf das zu legen, was die Lernenden wohl verstanden haben. Fordern Sie nach dem Hören auf zu benennen, was verstanden worden ist, und sprechen Sie dafür Ihre Anerkennung aus. Erfolgserlebnisse steigern das Selbstvertrauen und die Lernleistung.

Fördern Sie bei Nicht-Verstehen den Mut zur Lücke. Man braucht nicht jedes Wort zu verstehen, um die große Linie erfassen zu können. Wer sich festbeißt am unbekannten Wort, verliert den Anschluss an den darauf folgenden Text. Üben Sie das „Loslassen" von Unverstandenem.

Regen Sie bei der Nachbesprechung zu Spekulationen und Phantasien über mögliche Bedeutungen an. Ein kreativer Deutungsversuch kann wichtiger sein als die ängstliche Suche nach der einen, richtigen Antwort. Was kam den Teilnehmerinnen und Teilnehmern Ihrer Lerngruppe möglicherweise aus anderen Sprachen bekannt vor?

Helfen Sie den Lernenden beim Verstehen, indem Sie vor dem Hören anhand von Illustrationen und Unterrichtsgesprächen die inhaltlichen und sprachlichen Vorkenntnisse aktualisieren. Nutzen Sie das breite Spektrum möglicher Hörstrategien.

➤ Strategien schulen für das Hörverständnis in natürlichen Kommunikations-situationen

In natürlichen Kommunikationssituationen des Alltags kommt es nur selten vor, dass man etwas Wort-für-Wort verstehen will oder muss. Das wäre wenig effizient und würde auf Dauer hoffnungslos überfordern. Meistens geht es darum, den roten Faden zu erfassen oder selektiv bestimmte Teilinformationen herauszuhören.

Aus verschiedenen Gründen ist es im Allgemeinen nicht nötig, jedes Wort zu verstehen:

- Wir hören selektiv und wissen vorher, worauf es uns beim Hören ankommt.
  Wenn wir jemanden an der Bushaltestelle nach der Uhrzeit fragen, interessiert uns die Meinung dieser Person zur Misere der öffentlichen Verkehrsmittel wenig. Wir hören aus Höflichkeit mit „halbem" Ohr zu.

- Wir können aufgrund unserer Lebenserfahrung aus der Situation oder der Kenntnis von Personen und Rollen erschließen, worum es in einem Gespräch ungefähr gehen wird.
  Beim Sehen einer schreibenden Politesse erwartet man einen Strafzettel. Beim Einstieg ins Taxi geht man davon aus, nach dem Bestimmungsort und nicht nach dem Geburtsdatum gefragt zu werden. Und wenn Leo im Hörspiel seinem Vater einen Kratzer am Auto beichten muss, hat man aus eigener Erfahrung gewisse Erwartungen vom Verlauf des Gesprächs.

- Die Art, wie jemand etwas sagt (Intonation, Gesichtsausdruck, Körperhaltung), verrät uns viel darüber, was jemand sagt. Im zwischenmenschlichen Kontakt ist die nonverbale Kommunikation bedeutend wichtiger als der Inhalt dessen, was gesagt wird. Zeichnungen vermitteln einen Teil dieser wichtigen nonverbalen Informationen und sind damit weit mehr als schmückendes, amüsantes Beiwerk. Sie erfüllen eine wichtige kommunikative und didaktische Funktion.

- Authentische Sprache ist oft redundant, d.h., Aussagen werden doppelt gemacht (Wie bitte? Was sagen Sie?).

- Wörter in verwandten Sprachen klingen manchmal ähnlich. Ihre Bedeutung ist häufig mit ein bisschen Phantasie abzuleiten (*Panik, Moment, Information ...*). Dieses Vorwissen kann man nutzen.

All diese Strategien sind jedem unbewusst aus der Muttersprache vertraut. Es gilt, sie für die Kommunikation in der Fremdsprache aufzugreifen. Daraus ergeben sich für das **Training von Hörverständnis** die folgenden Prinzipien:

- **Vor dem Hören** ist den Lernenden bekannt, was sie verstehen sollen, um selektives Hören zu schulen. Nicht alles braucht verstanden zu werden. Wenn die Fragen erst nach dem Hören gestellt werden, zwingt man die Lernenden zum krampfhaftem Alles-Verstehen und trainiert eher Gedächtnisleistung statt Hörverständnis.

- Die Hörtexte sind eingebettet in einen sinnvollen thematischen oder situativen **Kontext**, so wie natürliche Kommunikationssituationen auch. Durch Vorkenntnis des Kontextes wird das Verständnis erleichtert. Die Form eines zusammenhängenden Hörspiels mit wiederkehrenden Personen schafft dafür ideale Voraussetzungen.

- **Visuelle Informationsträger**, wie z.B. Zeichnungen, sind unerlässlich. Sie stimmen ein in den situativen Kontext, die Stimmung, die Art der Interaktion, so wie visuelle Eindrücke das in der natürlichen Kommunikationssituation auch tun.
Zusätzlich können im Gespräch über die Zeichnungen vorab bereits vorhandenes Sprachmaterial und inhaltliche Vorkenntnisse aktiviert werden – eine wichtige Verständnishilfe.

- Sprache und Präsentation der Texte sollten so **authentisch** wie möglich sein.
Wenn nicht wirklich authentisches Material eingesetzt werden kann, müssen semi-authentische Texte produziert werden. Das bedeutet, dass Manuskripte für Dialoge in gesprochener Sprache geschrieben werden, statt Schriftsprache vorlesen zu lassen (kein Mensch redet z.B. im Imperfekt). Sprecher und Aufnahmetechnik müssen professionellen Ansprüchen genügen. Nur so ist gewährleistet, dass die Klangfarbe der Stimme, die Intonation und auch alle nonverbalen Signale, wie z.B. Hintergrundgeräusche, ihre verständnisunterstützende Funktion erfüllen können.

- Die Lernenden werden beim Zuhören angeregt zum Wiedererkennen von so oder ähnlich bekanntem Sprachmaterial und zu Spekulationen über mögliche Bedeutungen – Kreativität, **Improvisation** und Phantasie sind ernst zu nehmende Lernhilfen.

➤ In Text und Bild implizite landeskundliche Kenntnisse aus dem Alltag vermitteln

Neben impliziter, konkreter landeskundlicher Information in Wort und Bild (Wie klingen deutsche Telefonsignale? Was kann zu einem deutschen Frühstück gehören?) soll das Hörspiel auch deutlich machen, dass das, was junge Menschen in deutschsprachigen Ländern bewegt, nicht so viel anders ist, als das, was die Lernenden aus ihrem eigenen Leben kennen.
Überall auf der Welt kennt man im zwischenmenschlichen Umgang Grundgefühle wie Liebe, Unsicherheit, Eifersucht, Wut und Freude. Der Akzent liegt bei KEINE PANIK! eher auf dem Wiedererkennen, der Entdeckung von Übereinstimmungen als auf der Betonung von Unterschieden.
Trotzdem ist es sinnvoll, die Lernenden das, was sie sehen und hören, immer wieder mit Erfahrungen aus dem eigenen Leben, dem eigenen Land, der eigenen Kultur vergleichen zu lassen. Nonverbale Signale, z.B. Kleidung oder Gesten, können eine andere Bedeutung haben, Gefühlsäußerungen eine andere Wertigkeit - Landeskunde als Lebenskunde des Alltags.
Weisen Sie Ihre Lernerinnen und Lerner aber auch darauf hin, dass durchaus nicht alles im vorliegenden Unterrichtsmaterial „typisch deutsch" ist. Auch in deutschsprachigen Ländern legt man die

Füße gewöhnlich nicht auf den Frühstückstisch, und nicht alle Eltern-Kind-Beziehungen entsprechen denen im Hörspiel. Außerdem können regionale und soziale Unterschiede innerhalb Deutschlands sehr groß sein. Bringen Sie zur Illustration Unterschiede in der eigenen Lerngruppe zur Sprache. Diskussionen über Kontroversen (dürfen in der Muttersprache geführt werden) machen Landeskunde lebendig und sind erwünscht.

➤ Mit Spaß lernen und lehren

Das vorliegende Material geht von der lernpsychologischen Erkenntnis aus, dass es sich mit Spaß besser lernen und unterrichten(!) lässt. Vielleicht kann eine positive Einstellung zum Lernstoff sogar die Einstellung zur anderen Nationalität positiv beeinflussen - nach unserer Überzeugung eines der wichtigsten Lernziele von Sprachunterricht überhaupt.

Es wurde versucht, Material zu erstellen, das abgestimmt ist auf die Erlebniswelt von Jugendlichen und jungen Erwachsenen. Dabei ist nicht alles tödlich ernst gemeint. Ein Augenzwinkern kommt der Arbeit mit dem Material sicher zugute.

Dem Lernprozess ist mit Freude am Unterricht mehr gedient als mit ständiger Fehlerkorrektur. Lob dessen, was gut geht, ist lernpsychologisch erfolgreicher als Kritik an Fehlern. Eine Didaktik der Ermutigung schafft den besten Nährboden für eine offene und fruchtbare Lern- und Lehr(!)haltung.

1.6 Wie arbeiten Sie effektiv mit KEINE PANIK!?

Für eine effektive Arbeit mit dem Hörspiel, ausgehend von den oben beschriebenen Zielen, empfehlen wir das folgende **Basismodell**:

1. – Vor dem Unterricht kopieren Sie das Arbeitsblatt der entsprechenden Folge für alle Teilnehmer Ihrer Lerngruppe.

2. – Bei längeren Zeitabständen zwischen der Arbeit mit den einzelnen Hörspielfolgen lassen Sie (ab Folge 2) die Teilnehmer zu Beginn des Unterrichts kurz den Inhalt der vorigen Folge rekapitulieren.
   – Sie verteilen die Arbeitsblätter.

3. – Die Teilnehmer sehen sich die Zeichnung an und beantworten mündlich (in Partnerarbeit) die A-B-C-Fragen (soweit nötig in der Muttersprache).
   – Austausch darüber in der ganzen Gruppe.

4. – Sie geben an, welche Teilnehmer die ✳ Fragen beantworten sollen.
   – Die Teilnehmer lesen die Verständnisfragen. (Sie helfen beim Verstehen der Fragen, soweit nötig.)

5. – Sie spielen die Hörspielfolge vor – ab Folge 4 jeweils bis zum Unterbrechungssignal.
   – Die Teilnehmer beantworten schriftlich, allein oder zu zweit, die Verständnisfragen.
   – Besprechung der Antworten in der ganzen Gruppe.
   – Den Text bzw. das Fragment eventuell noch einmal vorspielen.
   Dabei können Sie die Teilnehmer auch auffordern, Begriffe zu notieren, die ihnen aus anderen Sprachen bekannt erscheinen. Kurze Besprechung der Begriffe in der ganzen Gruppe.
   – (Ab Folge 4 (mit einer oder mehreren Unterbrechungen) gilt: pro Fragment Wiederholung der Arbeitsschritte 4-5.)

Nehmen Sie sich die Freiheit, diese Arbeitsweise nach eigenem Ermessen unter Einschätzung des Niveaus Ihrer eigenen Lerngruppe zu variieren:

Vielleicht wollen Sie einzelne Begriffe oder Wendungen vorab erklären, weil sie das globale Verständnis des Textes über Gebühr behindern. (Bitte beachten Sie dabei: Die Worterklärungen zu den Hörtexten, die wir Ihnen in den Arbeitshilfen geben, sollen Ihnen die eventuell notwendigen Umschreibungen der im Hörtext mit * gekennzeichneten Wörter erleichtern. Sie sind nicht als Information für die Lernenden gedacht. Diese sollen ja gerade üben, beim Hören unbekannter Begriffe die Ruhe zu bewahren.)

Vielleicht wollen Sie ein grammatisches Phänomen (Imperativ, Adjektiv, Frageform), das in einer Folge gehäuft vorkommt, oder den Wortschatz zu einem bestimmten Bereich (Zahlen, Farben, Wochentage) vorab behandeln, um das Verständnis zu erleichtern und/oder den Lernstoff beim Hören zu festigen. Vielleicht ziehen Sie es vor, ein Unterbrechungssignal zu überschlagen oder jedes Fragment nur einmal vorzuspielen. Was immer Sie bei der Arbeitsweise verändern: In jedem Fall empfehlen wir Ihnen:

➤ Beginnen Sie immer mit dem Besprechen der Zeichnung.

Wenn eine längere Zeitspanne zwischen der Arbeit an zwei Hörspielfolgen liegt, ist es sinnvoll, die vorige Folge zuerst noch einmal vorzuspielen oder den Inhalt zumindest mündlich von den Teilnehmern rekapitulieren zu lassen. Dabei kann die Zeichnung der vorigen Folge (z.B. als Folie) zur Unterstützung dienen.

Beim Hören gibt es eine „Hilfestellung" für Ihre Lernenden, von der wir Ihnen dringend abraten:

➤ Lassen Sie den Text während des Hörens nicht mitlesen!

Diese Arbeitsweise entspricht so wenig der natürlichen Hörsituation, dass sie die Erreichung der Unterrichtsziele ernsthaft in Frage stellt. Das Schriftbild gibt dem Hörenden Halt und Sicherheit, die die natürliche Kommunikationssituation gerade nicht bieten. Es gibt leider niemanden, der sich beim Reden auch immer gleich die Niederschrift des Gesagten unters Kinn hält.

Wenn Sie den Lernenden gerne das Schriftbild der Texte anbieten möchten, dann immer erst nach Abschluss der unter 1- 6 beschriebenen Arbeitsschritte.

Mit dem **Pop-Song SUSANNE** schließen Sie die Arbeit mit KEINE PANIK! ab.

Im Lied wird eine ähnliche Situation wie in der letzten Folge des Hörspiels umgesetzt in gesungene Sprache: eine Begegnung mit der Fremdsprache, wie sie den meisten Lernenden aus der Freizeitsituation vertraut ist.

Sie können sich darauf beschränken, das Lied zweimal vorzuspielen und global zu besprechen, oder Sie bearbeiten es ausführlicher mit dem vorgegebenen Arbeitsblatt - das übrigens auch für jedes andere Lied geeignet ist.

KEINE PANIK! gibt Ihnen **Möglichkeiten zur internen Differenzierung**:
Erstens durch die mit ✻ gekennzeichneten Zusatzfragen auf den Arbeitsblättern. (Vergessen Sie nicht,

vorher jeweils anzugeben, welche Teilnehmer Ihrer Lerngruppe diese Fragen zusätzlich beantworten sollen.)

Zweitens durch **„Sprachelemente und Variationen"** auf Cassette 2.

„Sprachelemente und Variationen" filtert pro Folge kommunikativ relevantes Sprachmaterial aus den komplexen Gesprächssituationen des Hörspiels. Laute und Wendungen werden wiederholt und in ruhigem Tempo variiert. Die Pausen zwischendurch sind lang genug, um, wenn gewünscht, auch nachsprechen zu lassen. Dieses Material eignet sich zur vertiefenden Übung in der ganzen Gruppe oder zur Einzelarbeit, z.B. zu Hause.

Allgemein gilt für KEINE PANIK!: Wenn Ziele und Arbeitsweise dieser Unterrichtsreihe abweichen von dem, was Ihre Lerngruppe gewöhnt ist, besprechen Sie sie vorab.

1.7 Training anderer Fertigkeiten mit KEINE PANIK!

Da die Trennung der kommunikativen Fertigkeiten Hören, Sprechen, Lesen und Schreiben eine weitgehend künstliche ist, empfiehlt es sich, das Training von Hörverständnis zu ergänzen mit dem anderer Fertigkeiten.

- Wer an das Hörverstehen auch die **Aussprache** wichtiger Begriffe und Wendungen koppeln möchte, kann nach der Arbeit an der Hörspielfolge die entsprechenden „Sprachelemente und Variationen" nachsprechen lassen.
  Diese Übungen können in der Lerngruppe oder auch individuell zu Hause gemacht werden.
- Lassen Sie mit „Ketten" **Sprechfertigkeit** üben: Die Lernenden befragen sich kreuz und quer durch die Klasse über ihr Alter, ihre Adresse, die Namen ihrer Angehörigen oder Freunde. Der Schwierigkeitsgrad erhöht sich, wenn man zusätzlich die Informationen der Vorgänger wiederholen muss. Auf Tempo spielen und nicht zu lang.
- Destillieren Sie aus den Situationen des Hörspiels kurze Modelldialoge: ein Eis kaufen, jemanden anrufen (der/diejenige ist wohl/nicht zu Hause), jemanden einladen auf einen Drink, ins Kino (Einladung ablehen/annehmen) ... Lassen Sie diese Modelldialoge **schreiben** und/oder **spielen**.
- Situationen aus dem Hörspiel können nachgespielt oder verfremdet werden. Lassen Sie die Rollen umdrehen: Nina fährt Leo an. Nina ruft Leo an - wer meldet sich am Telefon? Was, wenn nicht Anne, sondern Ninas Mutter beim ersten Anruf von Leo ans Telefon gegangen wäre? ...
- Situationen können in eine **andere Textsorte** umgesetzt werden: Aus den Geschehnissen einer Folge einen Comicstrip machen. Nina schildert ihre Begegnung mit Leo einer Freundin im Brief/ Leo schreibt einem Freund seine Version der Ereignisse. Eine Zeitungsanzeige formulieren, mit der Leo Nina nach der ersten Begegnung suchen könnte. Welche Warnungen klebt Leo für seine Mitbewohner an den Kühlschrank? ...
- Lassen Sie die Lernenden **schriftlich oder mündlich weiterphantasieren**: Wie geht es nach dem Ende der letzten Folge weiter? Das Leben von Nina und Leo in fünfzehn Jahren ...

Bei allen zusätzlichen Aktivitäten möchten wir Sie – aus eigener Erfahrung – vor zwei Fehlern warnen:

- Hüten Sie sich davor, mit der Forderung nach Fehlerlosigkeit die Freude am Spielerischen zu ersticken.
  Setzen Sie sich ein oder zwei Ziele und lassen Sie alle anderen Unvollkommenheiten außer Acht. Geht es Ihnen um Sprechfertigkeit, dann dürfen Niederschriften orthographisch fehlerhaft

sein. Geht es Ihnen um Schreibfertigkeit, dann beschränken Sie sich auf bestimmte Phänomene (z.B. Groß- und Kleinschreibung). Es ist eine Frage Ihres eigenen Fingerspitzengefühls, das richtige Gleichgewicht zu finden zwischen Korrektur und Toleranz.

–   Überfrachten Sie das Hörspiel nicht mit unterrichtlichen Aktivitäten. Didaktisches „Ausschlachten" führt zum Überdruss. Lassen Sie die Freude am Kennenlernen der Fremdsprache eines der wichtigsten Ziele von KEINE PANIK! sein.

1.8 Zum Hörspiel

Inhalt:

Nina ist 16 und lebt mit ihrer Mutter und ihrer kleinen Schwester in Hamburg (Folgen 1 und 2). Beim Versuch, in letzter Minute den Schulbus zu erreichen, wird sie von einem Fahrradfahrer angefahren (Folge 3). Der Fahrradfahrer ist Leo. Leo ist 19, Krankenpfleger und nach einem Nachtdienst übermüdet auf dem Weg nach Hause. Weil Nina durch den Zusammenstoß den Bus verpasst hat, bringt Leo sie auf dem Fahrrad zur Schule. Er fragt sie nach ihrer Telefonnummer (Folge 4). Nina kommt zu spät und rettet sich gegenüber der Lehrerin mit einer verfremdeten aber nicht unwahren Version der Geschehnisse aus der Affäre (Folge 5). Leo hat Ninas Telefonnummer nur zum Teil behalten. Es kostet ihn einige Mühe, Nina ausfindig zu machen (Folge 6, 7). Die beiden verabreden sich zu einem Kinobesuch (Folge 8). Leo leiht sich das Auto seines Vaters (Folge 9). Nina sucht das passende Outfit (Folge 10). Auf dem Nachhauseweg passiert Leo ein Missgeschick mit dem Auto des Vaters (Folge 11). Er muss dem Vater am nächsten Morgen einen Kratzer beichten (Folge 12). Bei ihrer zweiten Verabredung lädt Leo Nina zu sich zum Essen ein (Folge 13). Während des Essens klären sich für Nina einige Missverständnisse (Folge 14). Der restliche Abend verläuft anders als erwartet (Folge 15).

Mitwirkende:

Hörspiel, Sprecher:	Nina:	Eleonore Birkenstock
	Leo:	Hans Bohnet
	Anne:	Vania Bolte-Raths
	Vater:	Michael Prelle
	Mutter:	Chantal Wood

Moritz Böhme, Carsten Mentzel, Michael Mentzel,
Malwine Möller, Angelika Raths, Renate Schaubode

Sprachelemente und Variationen,
Sprecher: Anna Esch und Uwe Thielen

Buch und Regie: Angelika Raths

Aufnahme und Montage: Deutscher Auslandsdienst für Rundfunk und Fernsehen
                                  Bonn/Bad Godesberg 1995

1.9 Anmerkungen

Rückmeldung

Es ist uns sehr daran gelegen zu hören, welche Erfahrungen Sie mit KEINE PANIK! in der Praxis machen. Schicken Sie Ihre Reaktionen direkt an die Autorin (muss nicht in Deutsch sein):

Angelika Raths • Dr. J. P. Thijsselaan 85 • NL - 3571 GN Utrecht

oder an

Langenscheidt KG • Redaktion Lehrwerke • Postfach 40 11 20 • D - 80711 München

Weiterführende Literatur

Wer sich weiter vertiefen möchte ins Thema „Hörverständnistraining", findet umfassendes Selbststudienmaterial (mit dazugehörigen Hörcassetten) im Buch von Barbara Dahlhaus: Fernstudieneinheit „Fertigkeit Hören". – Langenscheidt. München 1994.
Arbeitsblätter zum Hörverstehen (mit Hörbeispielen auf der Begleitcassette), gegliedert nach Themenbereichen wie Lieder, Radio- und Fernsehnachrichten, Hörspiele etc. bietet „Ganz Ohr" von G. Ghisla u.a. – Langenscheidt. München 1996. Anregungen zum Arbeitsblatt „Lied" sind diesem Buch entnommen.

Zur Autorin

Angelika Raths, geboren in Deutschland. Nach ihrem Studium in der Bundesrepublik ab 1976 tätig als Dozentin in der DaF-Lehrerausbildung an der Hochschule Midden Nederland in Utrecht, Niederlande. Seit 1987 Dozentin an der Freien Universität in Amsterdam, Niederlande.
Mitautorin des DaF-Lehrwerks „So isses" (P. Bimmel, A. Pfaff, A. Raths und M. v. d. Ven, Malmberg. Den Bosch 1991, 1992, 1993, 1997), u.a. als Autorin und Regisseurin des zum Lehrwerk gehörigen Hörspiels.
Diverse Publikationen.

➤ **Schau dir die Zeichnung an.**

➤ **Beantworte mündlich die folgenden Fragen (in Partnerarbeit).**

A Wo spielt die Szene?

B Welche Geräusche wirst du wahrscheinlich hören?

C Was glaubst du, wie viele Personen wirst du hören?

D Was könnte passieren?

➤ **Lies die folgenden Fragen** (beantworte sie nach dem Hören):
(Dein Lehrer bzw. deine Lehrerin sagt dir, ob du die Fragen mit ✳ auch beantworten musst.)

1. Wie viele Personen hörst du?

....

2. Wer klopft an die Tür?

....

✳ Warum will die Person ins Badezimmer?

....

➤ **Hör dir den Text an.**

➤ **Beantworte die Fragen 1 und 2 und besprich sie.**

➤ **Hör dir den Text zum Abschluss noch einmal an.**

➤ **Schau dir die Zeichnung an.**

➤ **Beantworte mündlich die folgenden Fragen (in Partnerarbeit).**

A Wo spielt die Szene?   **C** Was könnte passieren?

B Welche Geräusche wirst du hören?

➤ **Lies die folgenden Fragen** (beantworte sie nach dem Hören):
Dein Lehrer bzw. deine Lehrerin sagt dir, ob du die Fragen mit ✱ auch beantworten musst.)

1. Wie alt ist Nina?

     a) 15 (fünfzehn)   **b)** 16 (sechzehn)   **c)** 17 (siebzehn)   **d)** 18 (achtzehn)

2. Wie heißt Ninas Schwester?

     a) Anne   **b)** Sabine   **c)** Maxime

✱ Wie alt ist Ninas Schwester?

     a) 10 (zehn)   **b)** 11 (elf)   **c)** 12 (zwölf)   **d)** 13 (dreizehn)

3. Was macht Nina?

     a) Sie studiert.   **b)** Sie geht zur Schule.   **c)** Sie arbeitet bei einer Bank.

4. Kreuze auf der unten stehenden Karte von Deutschland an, wo Nina wohnt.

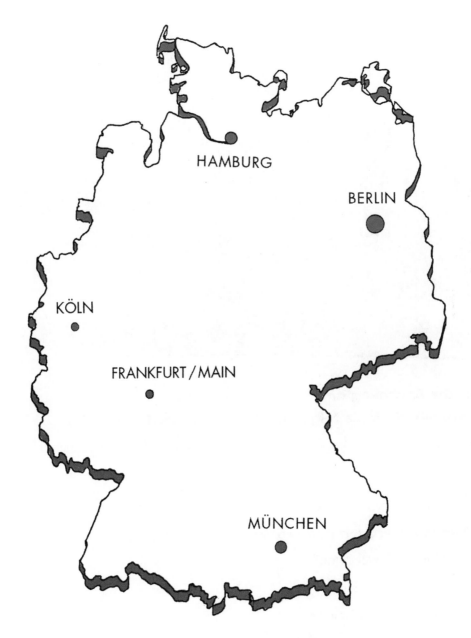

✳ Schreibe neben die jeweiligen Städtenamen, wer dort wohnt.

5. Warum rennt Nina so schnell weg?

....

➤ **Hör dir den Text an.**
  Du brauchst nicht jedes Wort zu verstehen. Achte auf die Fragen 1-5.
➤ **Beantworte die Fragen 1-5 und besprich sie.**
➤ **Hör dir den Text zum Abschluss noch einmal an.**

➤ **Schau dir die Zeichnung an.**

➤ **Beantworte mündlich die folgenden Fragen (in Partnerarbeit).**

A Wo spielt die Szene?

B Welche Geräusche wirst du wahrscheinlich hören?

C Wie viele Personen wirst du hören?

D Was könnte passiert sein?

➤ **Lies die folgenden Fragen** (beantworte sie nach dem Hören):

✳ Hat der junge Mann sich wehgetan?

ja ☐   nein ☐

1. Warum stoßen die beiden zusammen?

    a) Der Bus hat Nina angefahren.

    b) Die beiden hatten den anderen nicht gesehen.

    c) Die Bremsen vom Fahrrad waren kaputt.

2. Wo muss Nina hin?

....

3. Was schlägt der junge Mann vor?

....

4. Ist Nina einverstanden?

ja ☐   nein ☐

➤ **Hör dir den Text an.**
   Du brauchst nicht jedes Wort zu verstehen. Achte auf die Fragen 1-4.
➤ **Beantworte die Fragen 1-4 und besprich sie.**
➤ **Hör dir den Text zum Abschluss noch einmal an.**

➤ **Schau dir die Zeichnung an.**

➤ **Beantworte mündlich die folgenden Fragen (in Partnerarbeit).**

A Welche Geräusche werden in dieser Szene zu hören sein?

B Was könnte in dieser Szene passieren?

C Worüber könnten die beiden reden?

D Welche deutschen Wörter oder Wendungen, die du kennst, könnten in diesem Dialog vorkommen?

➤ **Lies die folgenden Fragen** (beantworte sie nach dem Hören):

1. Wie heißt der Junge?

....

* Wo muss er hin?

   a) nach Hause   **b)** zur Arbeit   **c)** zum Supermarkt   **d)** zum Nachtdienst

2. Was ist er von Beruf?

   a) Taxifahrer   **b)** Student   **c)** Krankenpfleger   **d)** Schüler

➤ **Hör dir den Text an bis zum Unterbrechungssignal.**

➤ **Beantworte die Fragen 1 und 2 und besprich sie.**

➤ **Lies die folgenden Fragen** (beantworte sie nach dem Hören):

✴ Warum will Nina nicht zu spät kommen?

....

3. Welche Abschiedsworte rufen die beiden? (Kreuze alle an, die du hörst.)

   a) Wiedersehen!   **b)** Tschau!   **c)** Tschüs!   **d)** Auf Wiederhören!

4. Was möchte der Junge zum Schluss gerne?

   a) mit Nina ins Kino gehen   **d)** Ninas Adresse haben

   b) Nina anrufen   **e)** wissen, wie er wieder zurückfahren muss

   c) Nina von der Schule abholen

✴ Mit welchen Zahlen beginnt die genannte Nummer?

   a) 525...   **b)** 528...   **c)** 529...   **d)** 520...

➤ **Hör dir den Text weiter an.**
➤ **Beantworte die Fragen 3 und 4 und besprich sie.**
➤ **Hör dir zum Abschluss den ganzen Text noch einmal ohne Unterbrechungen an.**

➤ **Schau dir die Zeichnung an.**

➤ **Beantworte mündlich die folgenden Fragen (in Partnerarbeit).**

A Wo spielt diese Folge des Hörspiels?

B Wen wirst du wahrscheinlich hören?

C Worüber könnten Nina und die Lehrerin reden?

➤ **Lies die folgenden Fragen** (beantworte sie nach dem Hören):

✳ Was sollen die Schüler nehmen?

a) die Bücher   **b)** die Hefte   **c)** die Arbeitsblätter

1. Was sagt Nina, als sie in die Klasse kommt?

    a) Herzlichen Glückwunsch!   **d)** Entschuldigung.

    b) Guten Morgen!   **e)** So ein Mist!

    c) Guten Tag.

2. Wovon erzählt Nina?

....

3. Wem erzählt sie das?

....

➤ **Hör dir den Text an bis zum Unterbrechungssignal.**
➤ **Beantworte die Fragen 1-3 und besprich sie.**
➤ **Lies die folgenden Fragen** (beantworte sie nach dem Hören):

4. Wovon erzählt Nina?

....

5. Wem erzählt sie das?

....

✳ Die Lehrerin fragt, ob Nina

   a) sich erschrocken hat   **c)** sie verstanden hat

   b) den Test machen kann   **d)** sich wehgetan hat

6. Hat Nina gelogen?
   ja ☐   nein ☐

➤ **Hör dir den Text weiter an.**
➤ **Beantworte die Fragen 4-6 und besprich sie.**
➤ **Hör dir zum Abschluss den ganzen Text noch einmal ohne Unterbrechungen an.**

➤ **Schau dir die Zeichnung an.**

➤ **Beantworte mündlich die folgenden Fragen (in Partnerarbeit).**

A Was, denkst du, könnte hier geschehen?

B Mit wem spricht Leo möglicherweise am Telefon?

C Welche deutschen Wörter oder Wendungen, die du kennst, könnten in diesem Dialog vorkommen?

D Wie könnte sich der Anfang dieser Szene anhören?

➤ **Lies die folgenden Fragen** (beantworte sie nach dem Hören):

1. Wie oft ruft Leo an?

....

2. Was erfährt er über Nina?

....

✳ Welche Information bekommt er zuletzt?

a) Die Telefonrechnung ist nicht bezahlt worden.

b) Nina ist nicht zu Hause.

c) Die Nummer ist gerade besetzt.

d) Unter der Nummer ist kein Telefon angeschlossen.

➤ **Hör dir den Text an bis zum Unterbrechungssignal.**
➤ **Beantworte die Fragen 1 und 2 und besprich sie.**
➤ **Lies die folgenden Fragen** (beantworte sie nach dem Hören):

3. Mit welcher kurzen Wendung bittet man im Deutschen darum, das Gesagte zu wiederholen, wenn man es nicht verstanden hat?
(Die Wendung wird im nächsten Teil wiederholt. Erst dann brauchst du die Antwort zu wissen.)

4. Wer, denkt das Kind, ist am Telefon?

....

✳ Wie nennt die Frau Leo?

  a) Teddybär   **b)** Schmusebär   **c)** Idiot   **d)** Nervensäge   **e)** Papa

➤ **Hör dir den Text an bis zum Unterbrechungssignal.**
➤ **Beantworte die Fragen 3 und 4 und besprich sie.**
➤ **Lies die folgenden Fragen** (beantworte sie nach dem Hören):

5. Mit welcher kurzen Wendung bittet man im Deutschen darum, das Gesagte zu wiederholen, weil man es nicht verstanden hat? *(siehe auch Frage 3.)*

....

6. Leo ist

  a) aufgeregt   **b)** böse   **c)** ungeduldig

7. Wie heißt die Person, mit der Leo zuletzt spricht?

....

➤ **Hör dir den Text weiter an.**
➤ **Beantworte die Fragen 5-7 und besprich sie.**
➤ **Hör dir zum Abschluss den ganzen Text noch einmal ohne Unterbrechungen an.**

➤ **Schau dir die Zeichnung an.**

➤ **Beantworte mündlich die folgenden Fragen (in Partnerarbeit).**

A Welche Personen wirst du hören?

B Welche Geräusche wirst du möglicherweise hören?

C In welcher Stimmung sind die beiden
Personen?

D Wie könnte das Gespräch zwischen
den beiden Personen verlaufen?

➤ **Lies die folgenden Fragen** (beantworte sie nach dem Hören)**:**

1. Was macht Nina wütend?

....

2. Von wem hörst du Schimpfwörter?

....

✴ Welche Schimpfwörter hörst du? (Du darfst, wenn nötig, schreiben, wie du hörst.)

....

➤ **Hör dir den Text an bis zum Unterbrechungssignal.**

➤ **Beantworte die Fragen 1 und 2 und besprich sie.**

➤ **Lies die folgenden Fragen** (beantworte sie nach dem Hören):

3. Für wen ist der Anruf?

....

4. Erschließe aus dem Kontext und dem Klang der Stimme, welches Gefühl das Wort „schade" ausdrückt:

a) Freude   **b)** Überraschung   **c)** Bedauern   **d)** Schreck

✳ Mit welcher Wendung verabschiedet man sich im Deutschen am Telefon?
(Du darfst, wenn nötig, schreiben, wie du hörst.)

....

5. Warum ist Nina wütend?

....

➤ **Hör dir den Text weiter an.**
➤ **Beantworte die Fragen 3 - 5 und besprich sie.**
➤ **Hör dir zum Abschluss den ganzen Text noch einmal ohne Unterbrechungen an.**

➤ **Schau dir die Zeichnung an.**

➤ **Beantworte mündlich die folgenden Fragen (in Partnerarbeit).**

A Wo spielt die Situation?

C Welche Geräusche wirst du hören?

B Welche Personen wirst du hören?

➤ **Lies die folgenden Fragen** (beantworte sie nach dem Hören):

1. Warum unterbricht Anne das Abtrocknen?

....

✳ Warum soll Nina nicht ans Telefon gehen?

....

2. Wer ist am Telefon?

....

3. Wie könnte das Gespräch weitergehen?

....

➤ **Hör dir den Text an bis zum Unterbrechungssignal.**

➤ **Beantworte die Fragen 1-3 und besprich sie.**

➤ **Lies die folgenden Fragen** (beantworte sie nach dem Hören)**:**

✳ Um welche Woche geht es?

    a) vorige Woche   **b)** diese Woche   **c)** nächste Woche

4. Welcher Wochentag wird genannt?

....

5. Welche Uhrzeit wird genannt?

....

6. Wie nennt Nina ihre Schwester am Ende?

    a) Doofe Kuh!   **b)** Blöde Kuh!   **c)** Mein Schätzchen!

➤ **Hör dir den Text weiter an.**
➤ **Beantworte die Fragen 4-6 und besprich sie.**
➤ **Hör dir zum Abschluss den ganzen Text noch einmal ohne Unterbrechungen an.**

„Das Auto"

➤ **Schau dir die Zeichnung an.**

➤ **Beantworte mündlich die folgenden Fragen (in Partnerarbeit).**

A Wo spielt die Situation?

B Welche Personen wirst du hören?

C Welche Geräusche wirst du hören?

➤ **Lies die folgenden Fragen** (beantworte sie nach dem Hören)**:**

1. Was möchte Leo gerne haben?

....

2. An welchem Tag?

....

3. Um wie viel Uhr?

....

✳ Ist der Vater einverstanden?

ja ☐   nein ☐

4. Wie könnte das Gespräch weitergehen?

➤ **Hör dir den Text an bis zum Unterbrechungssignal.**
➤ **Beantworte die Fragen 1-4 und besprich sie.**
➤ **Lies die folgenden Fragen.** (Beantworte sie nach dem Hören des zweiten Teils der Hörspielfolge.)

✻ Warum, denkt der Vater, will Leo sich sein Auto leihen?

....

5. Was möchte der Vater von Leo wissen?

....

6. Bekommt Leo, was er möchte?

ja ☐　　　　　nein ☐

7. Worauf soll Leo aufpassen?

....

➤ **Hör dir den Text weiter an.**
➤ **Beantworte die Fragen 5-7 und besprich sie.**
➤ **Hör dir zum Abschluss den ganzen Text noch einmal ohne Unterbrechungen an.**

„Nichts anzuziehen"

➤ **Schau dir die Zeichnung an.**

➤ **Beantworte mündlich die folgenden Fragen (in Partnerarbeit).**

A Wo spielt die Szene?

B Wen wirst du hören?

C Welche Namen von Kleidungsstücken kennst du auf Deutsch und wirst du vielleicht hören?

D Welche Farben kennst du auf Deutsch?

➤ **Lies die folgenden Fragen** (beantworte sie nach dem Hören)**:**

1. Was sucht Nina?

....

2. Welchen Rat bekommt Nina?

....

✳ Warum?

....

➤ **Hör dir den Text an bis zum Unterbrechungssignal.**

➤ **Beantworte die Fragen 1 und 2 und besprich sie.**

➤ **Lies die folgenden Fragen** (beantworte sie nach dem Hören)**:**

3. Wo war das rote T-Shirt?

....

* Warum war es da?

....

4. Was leiht Nina sich?

....

5. Von wem?

....

➤ **Hör dir den Text weiter an.**
➤ **Beantworte die Fragen 3-5 und besprich sie.**
➤ **Lies die folgenden Fragen** (beantworte sie nach dem Hören)**:**

* Was soll Anne nicht sagen?

....

6. Was fällt Anne an Nina und Leo auf?

7. Was möchte Anne am Ende gerne wissen?

....

➤ **Hör dir jetzt den Text weiter an.**
➤ **Beantworte die Fragen 6 und 7 und besprich sie.**
➤ **Hör dir zum Abschluss den ganzen Text noch einmal ohne Unterbrechungen an.**

„Ein Toter"

➤ **Schau dir die Zeichnung an.**

➤ **Beantworte mündlich die folgenden Fragen (in Partnerarbeit).**

A Welche Personen wirst du hören?

C Was könnte passieren?

B Wann könnte diese Szene spielen?
(Achte auf die Kleidung!)

➤ **Lies die folgenden Fragen** (beantworte sie nach dem Hören)**:**

1. Wo sind Leo und Nina gewesen?

....

2. Was schlägt Leo vor?

....

✻ Wie spät ist es?

....

3. Wie reagiert Nina?

   a) Sie ist einverstanden.

   b) Sie ist nicht einverstanden.

   c) Sie schlägt vor, in eine Disko zu gehen.

   d) Sie weiß es nicht.

➤ **Hör dir den Text an bis zum Unterbrechungssignal.**
➤ **Beantworte die Fragen 1 - 3 und besprich sie.**
➤ **Lies die folgenden Fragen** (beantworte sie nach dem Hören):

✱ Wer findet Nina schön?

    a) Leo   **b)** Nina sich selbst   **c)** beide   **d)** keiner

4. Nina

    a) würde lieber laufen   **c)** würde lieber hinten auf Leos Fahrrad sitzen

    b) würde lieber mit ihrem Fahrrad fahren   **d)** ist froh, dass Leo sich das Auto seines

                                                  Vaters geliehen hat

5. Was macht Nina gerne in ihrer Freizeit? (Mehrere Antworten sind richtig!)

    a) ins Kino gehen   **c)** fernsehen   **e)** Musik hören   **g)** faulenzen

    b) Tennis spielen   **d)** lesen   **f)** schwimmen   **h)** tanzen

➤ **Hör dir den Text an bis zum Unterbrechungssignal.**
➤ **Beantworte die Fragen 4 und 5 und besprich sie.**
➤ **Lies die folgenden Fragen** (beantworte sie nach dem Hören):

6. Wie alt ist Leo?

....

✱ Woran denkt Leo?

....

7. Was entdecken die beiden beim Aussteigen?

    a) einen Toten   **c)** ein Ei   **e)** Anne

    b) Leos Vater   **d)** einen Kratzer am Auto

➤ **Hör dir den Text weiter an.**
➤ **Beantworte die Fragen 6 und 7 und besprich sie.**
➤ **Hör dir zum Abschluss den ganzen Text noch einmal ohne Unterbrechungen an.**

➤ **Schau dir die Zeichnung an.**

➤ **Beantworte mündlich die folgenden Fragen (in Partnerarbeit).**

A Welche Personen und Geräusche wirst du wahrscheinlich hören?

B In welcher Stimmung sind die Personen?

C Worum könnte es in dem Gespräch gehen?

D Wie könnte das Gespräch verlaufen?

➤ **Lies die folgenden Fragen** (beantworte sie nach dem Hören)**:**

✳ Was macht Leos Mutter?

....

1. Was bietet der Vater Leo an?

....

2. Was gibt Leo dem Vater?

....

3. Nach wem fragt der Vater?

....

➤ **Hör dir den Text an bis zum Unterbrechungssignal.**

➤ **Beantworte die Fragen 1-3 und besprich sie.**

➤ **Lies die folgenden Fragen** (beantworte sie nach dem Hören)**:**

4. Worüber will Leo reden?

....

5. Wovon redet der Vater?

....

6. Sagt Leo die Wahrheit?

ja ☐   nein ☐

✳ Was bietet Leo dem Vater an?

....

✳ Der Vater

a) nimmt Leos Angebot an   **b)** lehnt das Angebot ab   **c)** macht einen anderen Vorschlag

7. Welche Warnung ruft Leo hinter seinem Vater her?

....

➤ **Hör dir den Text weiter an.**
➤ **Beantworte die Fragen 4-7 und besprich sie.**
➤ **Hör dir zum Abschluss den ganzen Text noch einmal ohne Unterbrechungen an.**

„Ein Eis"

➤ **Schau dir die Zeichnung an.**

➤ **Beantworte mündlich die folgenden Fragen (in Partnerarbeit).**

A Welche Personen wirst du wahrscheinlich hören?

B Wo spielt die Szene und welche Geräusche wirst du hören?

➤ **Lies die folgenden Fragen** (beantworte sie nach dem Hören):

＊ Warum sagt Nina: „Ein Glück, dass er nicht unter der Dusche stand, als du es ihm erzählt hast!"?

....

＊ Was tut Nina Leid?

....

1. Was schlägt Nina vor?

....

2. Warum will Nina nicht, dass Leo geht?

....

➤ **Hör dir den Text an bis zum Unterbrechungssignal.**
➤ **Beantworte die Fragen 1 und 2 und besprich sie.**
➤ **Lies die folgenden Fragen** (beantworte sie nach dem Hören):

3. Was kostet ein Eis?

....

4. Wen trifft Nina?

....

5. Wer wird ganz genau betrachtet?

....

✳ Was wird beschrieben?

....

6. Womit werden Männer mit Haaren auf der Brust verglichen?

....

➤ **Hör dir den Text weiter an.**
➤ **Beantworte die Fragen 3-6 und besprich sie.**
➤ **Lies die folgenden Fragen** (beantworte sie nach dem Hören):

7. Was schlägt Nina Leo vor? (Mehrere Antworten sind richtig.)

   a) woanders hinzugehen   **c)** zu ihr nach Hause zu gehen   **e)** ins Kino zu gehen
   b) zusammen zu essen   **d)** zu Leo nach Hause zu gehen

✳ Was will Nina über Leos Eltern wissen?

....

8. Wer kocht?

....

9. Was möchte Nina essen?

....

➤ **Hör dir den Text weiter an.**
➤ **Beantworte die Fragen 7-9 und besprich sie.**
➤ **Hör dir zum Abschluss den ganzen Text noch einmal ohne Unterbrechungen an.**

➤ **Schau dir die Zeichnung an.**

➤ **Beantworte mündlich die folgenden Fragen (in Partnerarbeit).**

A Wo spielt die Szene und welche Geräusche wirst du hören?

B Welche Personen wirst du hören?

C Was könnte in dieser Szene passieren?

➤ **Lies die folgenden Fragen** (beantworte sie nach dem Hören):

1. Was hofft Leo? (Mehrere Antworten sind richtig.)

a) dass seine Socken nicht auf dem Tisch liegen

b) dass sein Vater nichts von dem Auto sagt

c) dass keiner zu Hause ist

d) dass er nicht rot wird

e) dass genug Spaghetti im Haus sind

f) dass Nina keine Vegetarierin ist

✱ Was hofft Nina?

....

2. Was ist ausgegangen? (Mehrere Antworten sind richtig.)

a) die Spaghetti

b) die Cola

c) der Rotwein

d) das Mineralwasser

e) das Bier

f) die Milch

3. Was sagt man im Deutschen, wenn man mit jemandem anstößt?

....

➤ **Hör dir den Text an bis zum Unterbrechungssignal.**
➤ **Beantworte die Fragen 1-3 und besprich sie.**
➤ **Lies die folgenden Fragen** (beantworte sie nach dem Hören)**:**

4. Will Leo auf die anderen warten?

ja ☐   nein ☐

✱ Leo isst mit den anderen

    a) immer   **c)** am Wochenende   **e)** jede Woche
    b) manchmal   **d)** nie

5. Leo findet,

    a) dass seine Mutter manches nichts   **c)** dass seine Mutter eine nette Freundin hat
        angeht   **d)** dass Thomas seine Freundin heiraten sollte
    b) dass Nina nicht zuhört

6. Nina wird über das, was Leo erzählt

    a) fröhlich   **c)** unsicher   **e)** böse
    b) traurig   **d)** ängstlich

➤ **Hör dir den Text weiter an.**
➤ **Beantworte die Fragen 4-6 und besprich sie.**
➤ **Lies die folgenden Fragen** (beantworte sie nach dem Hören)**:**

7. Wer ist Thomas? (Mehrere Antworten sind richtig.)

    a) Leos Vater   **c)** Leos Mitbewohner   **e)** Leos Kollege
    b) Leos Bruder   **d)** Leos Chef

✱ Wie viele Personen wohnen in der Wohnung?

....

8. Von wem ist der Bananenjoghurt?

....

9. Von wem ist der Rotwein?

....

➤ **Hör dir den Text weiter an.**
➤ **Beantworte die Fragen 7-9 und besprich sie.**
➤ **Hör dir zum Abschluss den ganzen Text noch einmal ohne Unterbrechungen an.**

„Zu zweit"

➤ **Schau dir die Zeichnung an.**

➤ **Beantworte mündlich die folgenden Fragen (in Partnerarbeit).**

A Wo spielt die Szene?

C Was könnte in dieser Szene passieren?

B Wen wirst du hören?

➤ **Lies die folgenden Fragen** (beantworte sie nach dem Hören):

1. Was möchte Leo?

   a) eine andere CD auflegen

   b) sich neben Nina setzen

   c) ein Foto von Nina machen

   d) Nina ein Lied auf der Gitarre vorspielen

2. Wer wird „Don Juan" genannt?

   a) Leo   **b)** Peter   **c)** Thomas

✳ Was ist für Nina die Hauptsache?

   a) dass Leo ihr viel erzählt

   b) dass die Spaghetti gut waren

   c) dass Leo neben ihr sitzt

   d) dass interessant ist, was Leo erzählt

3. Wer ist Renate?

....

➤ **Hör dir den Text an bis zum Unterbrechungssignal.**
➤ **Beantworte die Fragen 1 - 3 und besprich sie.**
➤ **Lies die folgenden Fragen** (beantworte sie nach dem Hören):

4. Was hält Thomas von Mädchen, die 16 sind?

....

✳ Warum kommt Thomas nach Hause?

....

5. Wie heißt die Freundin, mit der Thomas ausgehen möchte?

    a) Renate   **b)** Marion   **c)** Jacqueline   **d)** Marianne

➤ **Hör dir den Text weiter an.**
➤ **Beantworte die Fragen 4 und 5 und besprich sie.**
➤ **Lies die folgenden Fragen** (beantworte sie nach dem Hören):

6. Was soll Leo machen? (Mehrere Antworten sind richtig.)

    a) noch ein bisschen Wein einschenken   **e)** den Fernseher ausmachen

    b) schöne Musik aussuchen   **f)** den Telefonstecker rausziehen

    c) die Augen zumachen   **g)** eine Flasche Wein mitbringen

    d) aufhören zu reden   **h)** Nina nach Hause bringen

7. Wer hat den Schlüssel vergessen?

....

✳ Was sucht Peter?

....

➤ **Hör dir den Text weiter an.**
➤ **Beantworte die Fragen 6 und 7 und besprich sie.**
➤ **Lies die folgenden Fragen** (beantworte sie nach dem Hören):

8. Wer klopft an?

....

✳ Wen vermutet der, der klopft, im Badezimmer?

....

9. Was will Nina beim nächsten Mal mitnehmen?

....

➤ **Hör dir zum Abschluss den ganzen Text noch einmal ohne Unterbrechungen an.**

In einem Lied hörst du die deutsche Sprache auf eine andere Weise.
Ziel der Arbeit ist nicht, dass du jedes Wort verstehst, sondern dass du nach der Arbeit mehr verstehst als vorher.
Viel Spaß!

➤ **Lies die folgenden Fragen:**

1. Mein erster Eindruck:
Ich finde das Lied
(Male das Thermometer aus!)

super, klasse, sehr gut, sehr schön

gut, schön

nicht so gut

nicht gut, doof, blöd

schrecklich

2. Nach dem ersten Anhören finde ich das Lied (kreuze an!):

leicht – 1 – 2 – **3** – **4** – **5** – **schwer**

➤ **Hör dir das Lied entspannt an.** (Du brauchst nichts vom Text zu verstehen. Lass das Lied auf dich wirken, als ob du es im Radio hören würdest.)

➤ **Beantworte die Fragen 1 und 2.**

➤ **Lies die folgenden Fragen:**

3. Bild … passt für mich am besten zum Lied.

4. Ich habe dieses Bild gewählt,

    a) weil ich einzelne Wörter verstanden habe, die zu dem Bild passen.

    b) weil Melodie und Rhythmus zur Stimmung des Bildes passen.

    c) ganz spontan.

    d) weil ....

✳ Suche in Illustrierten oder Prospekten ein Bild, das zum Lied passt, und klebe es auf die Rückseite des Arbeitsblattes.

5. Hat das Lied einen Refrain?

    ja ☐   nein ☐

✳ Wenn ja, schreibe einige Wörter auf (hör dir den Refrain eventuell noch einmal an):

Diese Wörter habe ich gehört:	Ich glaube, sie bedeuten in meiner Muttersprache:	Die Bedeutung im Wörterbuch ist:
....	....	....
....	....	....
....	....	....
....	....	....

➤ **Hör dir das Lied noch einmal an.** (Wenn du selbständig arbeitest, entscheide selbst, wann und wie oft du das Lied hören möchtest, um die Fragen beantworten zu können.)

➤ **Beantworte die Fragen 3 - 5** (benutze für Frage 5 ✳ ein Wörterbuch).

➤ **Lies die folgenden Fragen:**

6. Das Thema des Liedes ist:

Mode • Natur • Politik • Liebe • Reisen • Krieg • Flirt • Tiere • Schule • Freundschaft
Familie • Probleme • Wetter • Deutschland • Kinder • Tod • Technik • Träume • Beruf

✳ Trage das Thema in den Wortigel ein und schreibe passende Wörter dazu (sie müssen nicht aus dem Lied sein):

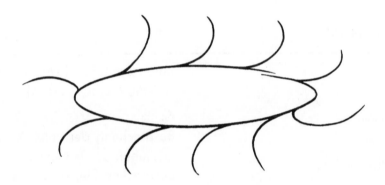

7. Das Lied könnte heißen:

....

➤ **Hör dir das Lied noch einmal an.**

➤ **Beantworte die Fragen 6 und 7 und die folgenden Fragen:**

8. Schau dir noch einmal die Fragen 1 und 2 an. Hat deine Meinung zum Lied sich geändert?

9. Das Wort, das ich bei der Arbeit gelernt habe und das mir am besten gefällt, ist:

....

✳ Was hilft mir, ein Lied besser zu verstehen? (Du kannst mehrere Möglichkeiten ankreuzen.)

   a) das ganze Lied mehrmals anhören

   b) das Lied stoppen und einzelne Stücke mehrmals anhören

   c) auf Wörter achten, die ich kenne oder die mir bekannt vorkommen

   d) unbekannte Wörter im Wörterbuch nachschlagen

   e) mit jemandem über das Lied reden

   f) ....

Folge 1 „Nina"
Spieldauer: 2'36"
Personen: Nina, Mutter, Schwester
Unterrichtszeit: 15 Minuten

Nina:
Hey! Ich bin Nina. Nina Hansen.
Ich bin Nina. Nina Hansen. Hey.
Mutter:
Nina! Halb 8! Komm!
Nina:
Ja! Ich komme! Das ist meine Mutter.
Schwester:
Nina! Aufmachen! Nina!

Nina:
Das ist meine Schwester.
Schwester:
Nina!
Nina:
Ja!
Schwester:
Nina! Aufmachen! Ich muss zur Toilette!
Nina:
Keine Panik! Moment!
Bis später!
Schwester:
Nina! Aufmachen!

Arbeitsschritte:

1.
Kopieren von Arbeitsblatt 1

2.
Austeilen von Arbeitsblatt 1

3.
Die Teilnehmer der Lerngruppe sehen sich die Zeichnung an und spekulieren - am besten zu zweit - über die Fragen A - D. (Darauf achten, ob alle Fragen verstanden worden sind.)
Besprechen Sie einige Antworten in der ganzen Gruppe. (Ermutigen Sie zu Spekulationen. Richtig oder falsch ist in dieser Phase weniger wichtig.)

4.
Angeben, ob bzw. welche Teilnehmer der Lerngruppe die * Fragen beantworten sollen.
Die Teilnehmer lesen die Fragen 1 und 2.

5.
Vorspielen der Folge 1
Die Teilnehmer beantworten allein oder zu zweit die Fragen 1 und 2.
Besprechung der Antworten in der ganzen Gruppe (Denken Sie daran, es geht nicht darum, jedes Wort zu verstehen!)
Fragen Sie die Lernenden auch, ob sie Wörter gehört haben, die sie so oder ähnlich aus an-deren Sprachen kennen (vielleicht: *Mutter, ja, Toilette, Moment, Panik*).

6.
Besprechung der unter A - D angestellten Vermutungen der Teilnehmer
Besprechen Sie, woran es lag, dass Vermutungen richtig oder falsch waren (Zeichnung, eigene Erfahrungen).
Welche Teilnehmer Ihrer Lerngruppe kennen eine solche Situation aus eigener Erfahrung?

7.
Spielen Sie diese Folge des Hörspiels zum Abschluss noch einmal vor.

Antwortschlüssel Arbeitsblatt 1:

1. 3
2. Ninas Schwester
* Anne muss zur Toilette.

Folge 2 „Das Frühstück"
Spieldauer: 2'49"
Personen: Nina, Mutter, Anne,
　　　　　　Radiosprecher, Radiogast
Unterrichtszeit: 15 Minuten

Mutter:
　Anne! Komm!
Anne:
　Ja! Ich komme!
Mutter:
　Nina! Wir gehen!
Nina:
　Ja!
Mutter und Anne:
　Tschüs*!
Nina:
　Tschüs!
　Endlich Ruhe!
Radiosprecher:
　Und nun begrüßen wir im Studio unseren Gast* Dr. Sabbel*. Guten Morgen, Herr Dr. Sabbel. Ihr interessantes Referat über das Balzverhalten der Ameisen …
Nina:
　Guten Morgen, Herr Dr. Bla, Bla …

Also, ich heiße Nina, aber das wisst ihr ja schon. Ich bin 16.
Meine Schwester heißt Anne. Die ist 10 und eine große Nervensäge*!
Meine Mutter heißt Sabine. Die ist schon 3 Jahre 39.
Meine Schwester und ich gehen zur Schule. Meine Mutter ist Lehrerin. Aber trotzdem ganz o.k.
Also wir drei wohnen hier in Hamburg. Mein Vater heißt Max und wohnt in Berlin.
Radiosprecher:
　Es ist 8 Uhr …
Nina:
　8 Uhr!! Nein! Ich komme zu spät!! Mein Bus!

Worterklärungen:

tschüs = Abschiedsgruß, um sich in lockerer Form zu verabschieden, engl.: *bye*
Gast = jemand, den man zu sich eingeladen hat; engl.: *guest*
Sabbel = sprechender Name, abgeleitet von dem Verb *sabbeln* = viel reden, schwatzen engl.: *to drivel, to talk a lot of nonsense*
Nervensäge = jemand, der durch sein Verhalten andere Leute immer wieder stört; engl: *a pain in the neck, someone who drives you up the wall*

Arbeitsschritte:

1.
Kopieren von Arbeitsblatt 2

2.
Austeilen von Arbeitsblatt 2

3.
Die Lernenden sehen sich die Zeichnung an und spekulieren – am besten zu zweit – über die Fragen A-C. (Darauf achten, ob alle Fragen verstanden worden sind.)
Besprechen Sie einige Antworten in der ganzen Gruppe. (Ermutigen Sie zu Spekulationen. Richtig oder falsch ist in dieser Phase weniger wichtig.)

4.
Angeben, ob bzw. welche Teilnehmer der Lerngruppe die * Fragen beantworten sollen. Die Lernenden lesen die Fragen 1 - 5.

5.
Vorspielen der Folge 2
Die Lernenden beantworten allein oder zu zweit die Fragen 1 - 5.
Besprechung der Antworten in der ganzen Gruppe (Denken Sie daran, es geht nicht darum, jedes Wort zu verstehen!)
Fragen Sie die Lernenden auch, ob sie Wörter gehört haben, die sie so oder ähnlich aus anderen Sprachen kennen (vielleicht: *Radio, Doktor, Vater, Bus*).

6.

Besprechung der unter A-C angestellten Vermutungen der Lernenden

Besprechen Sie, woran es lag, dass Vermutungen richtig oder falsch waren (Zeichnung, eigene Erfahrungen).

Welche Teilnehmer der Lerngruppe kennen eine solche Situation aus eigener Erfahrung?

7.

Spielen Sie diese Folge des Hörspiels zum Abschluss noch einmal vor.

Antwortschlüssel Arbeitsblatt 2:

1. **b)** 16 (sechzehn)
2. **a)** Anne
* **a)** 10 (zehn)
3. **b)** Sie geht zur Schule.
4. Hamburg
* Hamburg: Nina, Mutter, Anne
  Berlin: Ninas Vater Max
5. Sie muss zum Bus.

Folge 3 „So ein Mist"
Spieldauer: 2'12"
Personen: Nina, Mann, Leo
Unterrichtszeit: 15 Minuten

Nina:
  8 Uhr! ... Zu spät!
Mann:
  He!
Nina:
  Entschuldigung!
  Ja!
  Der Bus! ...
  Mist!*
Leo:
  Entschuldigung!
Nina:
  So ein Mist!
Leo:
  Hast du dir wehgetan?
Nina:
  Ach! Aua!
Leo:
  Entschuldigung, du. Ich hab dich nicht gesehen.

Nina:
  Na ja, ich hab dich auch nicht gesehen. Hast du dir wehgetan?
Leo:
  Nee*. Ich hab mich nur erschrocken.
Nina:
  Na, der Bus ist jedenfalls weg. So ein Mist!
Leo:
  Wo musst du denn hin?
Nina:
  Zur Schule.
Leo:
  Welche?
Nina:
  Goethe-Schule.
Leo:
  Wo ist die denn?
Nina:
  Beim Theater.
Leo:
  Beim Theater? Soll ich dich bringen?
Nina:
  Ach, ...
Leo:
  Na komm.
Nina:
  Ja?

Leo:
Na komm. Los. Ich bring dich.
Nina:
O.k.

Worterklärung:

Mist! = Ausruf, um Wut auszudrücken; engl.: *Darn it!*
nee = (umgangssprachlich) nein

Arbeitsschritte:

1.
Kopieren von Arbeitsblatt 3

2.
Austeilen von Arbeitsblatt 3

3.
Die Lernenden sehen sich die Zeichnung an und spekulieren – am besten zu zweit – über die Fragen A-D. (Darauf achten, ob alle Fragen verstanden worden sind.)
Besprechen Sie einige Antworten in der ganzen Gruppe. (Ermutigen Sie zu Spekulationen. Richtig oder falsch ist in dieser Phase weniger wichtig.)

4.
Angeben, ob bzw. welche Teilnehmer der Lerngruppe die * Fragen beantworten sollen.
Die Lernenden lesen die Fragen 1 - 3.

5.
Vorspielen der Folge 3
Die Lernenden beantworten allein oder zu zweit die Fragen 1 - 3.
Besprechung der Antworten in der ganzen Gruppe (Denken Sie daran, es geht nicht darum, jedes Wort zu verstehen!)

Fragen Sie die Lernenden auch, ob sie Wörter (oder Namen) gehört haben, die sie so oder ähnlich aus anderen Sprachen kennen (vielleicht: *Bus, Goethe, Theater*).

6.
Besprechung der unter A - D angestellten Vermutungen der Lernenden
Besprechen Sie, woran es lag, dass Vermutungen richtig oder falsch waren (Zeichnung, eigene Erfahrungen).
Welche Teilnehmer Ihrer Lerngruppe kennen eine solche Situation aus eigener Erfahrung?

7.
Spielen Sie diese Folge des Hörspiels zum Abschluss noch einmal vor.

Antwortschlüssel Arbeitsblatt 3:

* Er hat sich nicht wehgetan.
1. b) Die beiden hatten den anderen nicht gesehen.
2. zur Schule
3. dass er sie hinbringt
4. ja

Unterrichtszeit: 20 Minuten
Folge 4 „Der Fahrradtaxifahrer"
Spieldauer: 3'22"
Personen : Nina, Leo

Leo:
Wie heißt du eigentlich?

Nina:
Nina. Und du?
Leo:
Leo.
Nina:
Wo musst du denn eigentlich hin?
Leo:
Nach Hause.

Nina:

    Nach Hause?

Leo:

    Zum Schlafen.

Nina:

    Zum Schlafen. Super.

    Wieso eigentlich zum Schlafen? Musst du denn nicht arbeiten oder so?

Leo:

    Doch.

Nina:

    Und?

Leo:

    Nachtdienst*.

Nina:

    Ach so. Was bist du denn?

Leo:

    Müde.

Nina:

    Nein, ich meine, was bist du von Beruf?

Leo:

    Taxifahrer! Fahrradtaxifahrer*!

Nina:

    Also jetzt sag schon, was bist du von Beruf?

Leo:

    Ich bin Krankenpfleger*.

Nina:

    Krankenpfleger? Da habe ich ja Glück gehabt. Wenn du mich schon platt fährst*!

Leo:

    Genau!

—————— UNTERBRECHUNG ——————

Leo:

    Wo jetzt?

Nina:

    Rechts.

Leo:

    Warum ist es denn so schlimm, wenn du zu spät kommst?

Nina:

    Test. Deutsch.

Leo:

    Ach du dickes Ei*! ... Na dann ... Wo jetzt?

Nina:

    Links.

    Da bei der Bank, links. Da! Da ist das Theater! Da ist meine Schule!

    Danke fürs Bringen! Nett von dir!

Leo:

    Bitte. Und viel Glück!

Nina:

    Danke! Tschüs!

Leo:

    Wiedersehen! Kann ich dich mal anrufen?

Nina:

    52 98 80 2! Hansen! Nina Hansen!

Leo:

    52 98 02. Nee. 52 89 20. Nee. 52 08 29. Oh, nee!

Worterklärungen:

Nachtdienst = der Dienst, den man in der Nacht hat (besonders im Krankenhaus); engl.: *night duty*

Fahrrad = Fahrzeug mit 2 Rädern, ohne Motor, das durch das Treten von Pedalen angetrieben wird; engl.: *bicycle*

Fahrradtaxifahrer = scherzhafte Anspielung auf *Fahrradkurier*, jemand, der Pakete und eilige Sendungen mit dem Fahrrad zum Empfänger bringt; engl.: *cyclist in a courier service*

Krankenpfleger = Mann, der beruflich Menschen pflegt; engl.: *male nurse*

platt fahren = jemanden überfahren; engl.: *to run someone over*

Ach du dickes Ei = Ausruf der Überraschung; engl.: *Goodness gracious!, Yikes!*

Arbeitsschritte:

1.

Kopieren von Arbeitsblatt 4

2.

Austeilen von Arbeitsblatt 4

3.

Die Lernenden sehen sich die Zeichnung an und spekulieren zu zweit über die Fragen A-D. (Sind die Fragen verstanden worden?)

Besprechen Sie einige Antworten in der ganzen Gruppe. (Spekulieren lassen!)

4.

Angeben, wer die ✳ Fragen beantworten soll. Die Lernenden lesen die Fragen 1 und 2.

5.

Vorspielen der Folge 4 bis zum Unterbrechungssignal

Die Lernenden beantworten allein oder zu zweit die Fragen 1 und 2.

Antworten in der ganzen Gruppe besprechen Welche Wörter kamen den Lernenden bekannt vor? (vielleicht: *Taxi*)

6.

Die Lernenden lesen die Fragen 3 und 4. (Sind die Fragen verstanden worden?)

7.

Vorspielen des letzten Teils von Folge 4

Die Lernenden beantworten allein oder zu zweit die Fragen 3 und 4.

Antworten in der ganzen Gruppe besprechen

Welche Wörter kamen den Lernenden bekannt vor? (vielleicht: *Test*)

8.

Besprechung der Fragen A–D

Warum richtig / falsch vermutet?

9.

Vorspielen der ganzen Folge ohne Unterbrechungen

Antwortschlüssel Arbeitsblatt 4:

1. Leo
✳ **a)** nach Hause
2. c) Krankenpfleger
✳ Sie hat einen Test in Deutsch.
3. c) Tschüs!
 a) Wiedersehen!
4. b) Nina anrufen
✳ **c)** 529

Folge 5 „Der Unfall"
Spieldauer: 2'59"
Personen: Nina, Lehrerin,
          Jungen, Mädchen
Unterrichtszeit: 20 Minuten

Lehrerin:

Bitte Ruhe. Ruhe bitte! Nehmen Sie die Bücher und lesen Sie den Text auf Seite 20! Nein, nein, keine Hefte! Ich habe Arbeitsblätter …

Einige Jungen:

Oh! Ah! Guten Morgen!

Nina:

Entschuldigung. Ich …

Lehrerin:

Schon gut. Schon gut. Setzen Sie sich schnell.

Junge:

Gut geschlafen?

Nina:

Blödmann✳!

Lehrerin:

Also bitte, bitte Ruhe, ja? Nehmen Sie die Bücher! Seite 20! Nein, keine Hefte!

Mädchen:

Bus verpasst?

Nina:

Ja.

Mädchen:

Und?

Nina:

Taxi.

Mädchen:

Taxi?

Nina:

Fahrradtaxi.

Mädchen:

Hä?

Nina:

Ein Typ hat mich angefahren und dann auf dem Fahrrad hierher gebracht.

Mädchen:

Was für ein Typ?

Nina:

Leo heißt er.

Mädchen:

Und?

Nina:

Groß. Blond. Nett.

Mädchen:

Und?!

Nina:

Will mich anrufen.

Mädchen:

Ist ja super!

Nina:

Ach, macht er ja doch nicht.

——————— UNTERBRECHUNG ———————

Lehrerin:

Also bitte, Nina, ja? Wiederholen Sie doch noch einmal, was ich gerade gesagt habe!

Nina:

Ja, also … Entschuldigung, aber …

Lehrerin:

Ja, bitte?

Nina:

Der Unfall* heute Morgen …

Lehrerin:

Unfall?

Nina:

Ja. Eine Schülerin. Ein Taxifahrer hat eine Schülerin angefahren.

Lehrerin:

Angefahren?

Nina:

Ja. Heute Morgen. Vor meinem Haus! Sie musste weggebracht werden!

Lehrerin:

Ach …

Nina:

Der Krankenpfleger musste ganz schnell fahren! Beinah wären sie zu spät gekommen.

Lehrerin:

Mein Gott! Das ist ja schlimm.

Nina:

Ich habe mich erschrocken.

Lehrerin:

Ja natürlich. Das verstehe ich.

Ja, können Sie denn jetzt den Test …?

Nina:

Ach, ich versuche es mal.

Lehrerin:

Gut. Ja, dann, also dann, dann lesen Sie doch bitte …

Mädchen:

Du hast Blaulicht* und Sirene vergessen!

Nina:

Ich lüge nie!

Worterklärungen:

Blödmann = Schimpfwort für einen Jungen oder Mann, über den man sich ärgert; engl.: *stupid fool, idiot*

Unfall = ein Ereignis, bei dem Menschen verletzt oder getötet werden; engl.: *accident*

Blaulicht = blau aufleuchtendes Licht an Autos der Feuerwehr, der Polizei und des Roten Kreuzes als Signal für absolute Vorfahrt; engl.: *flashing lights*

Arbeitsschritte:

1.

Kopieren von Arbeitsblatt 5

2.

Austeilen von Arbeitsblatt 5

3.

Die Lernenden sehen sich die Zeichnung an und spekulieren zu zweit über die Fragen A - C. (Sind die Fragen verstanden worden?)

Besprechen Sie einige Antworten in der ganzen Gruppe. (Spekulieren lassen!)

4.

Angeben, wer die * Fragen beantworten soll.
Die Lernenden lesen die Fragen 1 - 3.

5.

Vorspielen der Folge 5 bis zum Unterbrechungssignal
Die Lernenden beantworten allein oder zu zweit die Fragen 1 - 3.
Antworten in der ganzen Gruppe besprechen
Welche Wörter kamen den Lernenden bekannt vor? (vielleicht: *Text, Typ, super*)

6.

Die Lernenden lesen die Fragen 4 - 6.
(Sind die Fragen verstanden worden?)

7.

Vorspielen des letzten Teils von Folge 5
Die Lernenden beantworten allein oder zu zweit die Fragen 4 - 6.
Antworten in der ganzen Gruppe besprechen

Welche Wörter kamen den Lernenden bekannt vor? (vielleicht: *Sirene*)

8.

Besprechung der Fragen A-C
Warum richtig/falsch vermutet?

9.

Vorspielen der ganzen Folge ohne Unterbrechungen

Antwortschlüssel Arbeitsblatt 5:

* **a)** die Bücher
1. **b)** Guten Morgen!
2. von ihrer Begegnung mit Leo
3. einem Mädchen in der Klasse
4. von ihrer Begegnung mit Leo
5. der Lehrerin
* **b)** den Test machen kann
6. nein

Folge 6 „Am Telefon"
Spieldauer: 6'02"
Personen: Leo, Mann, Frau, Kind, junge
Frau, alter Mann, alte Frau
Unterrichtszeit: 25 Minuten

Leo:

Hansen ... Hansen ... Hansen ... Mensch, da gibt es ja tausend! 5 2, 5 2 ... Irgendwas mit 5 2 und 8. Das weiß ich! Hier, diese vielleicht: Hansen. Olympiastraße. 52 87 02 3.

Mann:

Hansen.

Leo:

Leo Sandmann. Guten Tag. Wohnt bei Ihnen eine Nina Hansen?

Mann:

Nein.

Leo:

Nein ...
Diese vielleicht.

Frau:

Hansen.

Leo:

Leo Sandmann. Guten Tag, Frau Hansen. Kann ich vielleicht Nina sprechen?

Frau:

Nina? Nein, Herr Sandmann, eine Nina wohnt hier nicht.

Leo:

Dann entschuldigen Sie bitte.

Frau:

Bitte.

Leo:

5 2, 5 2. Hier!

Telefondurchsage:

Kein Anschluss unter dieser Nummer. Kein Anschluss unter dieser Nummer*.

——————— UNTERBRECHUNG ———————

Leo:

Hier, diese vielleicht! 52 08 90 2.

Kind:

Hallo.

Leo:

Wohnt bei euch eine Nina?

Kind:

Papa.

Leo:

Ich bin nicht dein Papa! Ist deine Mama da?

Kind:

Hallo, Papa.

Leo:

Ich bin nicht dein Papa! Wo ist deine Mama? Ruf mal deine Mama, ja? Los!

Kind:

Mama! Der Papa!

Leo:

Mein Gott!

Junge Frau:

Christoph? Hallo, mein großer, starker Schmusebär*! Wo bist du?

Leo:

Leo! Leo Sandmann!

Junge Frau:

Wie bitte? Leo? Wieso Leo?

Leo:

Leo! Ich heiße Leo! Ich wollte nur wissen, wohnt bei Ihnen Nina Sandmann? Ähm, Nina Hansen, meine ich.

Junge Frau:

Nein!

Leo:

Schmusebär!

——————— UNTERBRECHUNG ———————

Leo:

Nina! Nina, wo bist du? 5 2, 5 2 ... Hier vielleicht. Nelson-Mandela-Allee. Na los!

Alter Mann:

Hansen

Leo:

Leo Sandmann. Guten Tag.

Alter Mann:

Wer?

Leo:

Leo Sandmann. Wohnt bei Ihnen Nina Hansen?

Alter Mann:

Wie bitte?

Leo:

Nina Hansen.

Alter Mann:

Lina?

Leo:

N I N A !

Alter Mann:

Ja, ja. Ich rufe sie mal. Moment, ...ina! Telefon!

Leo:

Ich hab sie! Ich hab sie! Sie ist da! Ich werde wahnsinnig*!

Alter Mann:

Moment noch. Sie kommt.

Leo:

Ja, danke.

Jetzt geht es los! Ich bin der Leo. Der Leo mit dem Fahrrad. Ich bin der Leo. Der Leo mit dem Fahrrad.

Alte Frau:

Ja? Hier ist Lina. Sprechen Sie doch bitte etwas deutlicher? Ich kann Sie nicht verstehen. Wer ist denn da?

Leo:

Ich bin der Leo. Der Leo mit dem Fahrrad.

Worterklärungen:

kein Anschluss unter dieser Nummer = automatische Ansage, dass diese Telefonnummer nicht mehr existiert / abgemeldet ist;
engl.: *That number has been disconnected.*
Schmusebär = Kosewort, abgeleitet von
schmusen = mit jemandem zärtlich sein;
engl.: *to cuddle*
wahnsinnig, ich werde wahnsinnig = Ich halte das nicht aus; engl.: *to go crazy*

Arbeitsschritte:

Wie beschrieben in der Einführung (1.6) und für Folge 5 (Achtung: zwei Unterbrechungen!)

Antwortschlüssel Arbeitsblatt 6:

1. dreimal (fünfmal in der ganzen Folge)
2. nichts
∗ **d)** Unter der Nummer ist kein Telefon angeschlossen.
3. Wie bitte?
4. der Vater
∗ Schmusebär
5. Wie bitte?
6. **a)** aufgeregt
7. Lina Hansen

Folge 7 „Die Störung"
Spieldauer: 3'16"
Personen: Nina, Anne, Leo
Unterrichtszeit: 20 Minuten

Nina:
> Anne! Leiser!
> Anne! Leiser!

Anne:
> Wie bitte?

Nina:
> Mach die Musik leiser! Ich muss arbeiten!
> Anne, mach leiser! Das stört!

Anne:
> Leise ist doof*!

Nina:
> Dann mach aus!

Anne:
> Ey*!

Nina:
> Ich sage es der Mama!

Anne:
> Du Doofe!

Nina:
> Anne! ...
> Ich muss arbeiten!

Anne:
> Ich muss üben!

Nina:
> Ich werde wahnsinnig!
> Noch ein Ton, und ich schmeiße das Saxophon aus dem Fenster!

Anne:
> Doofe Kuh!

——————— UNTERBRECHUNG ———————

Anne:
> Anne Hansen.

Leo:
> Guten Tag. Wohnt bei euch eine Nina?

Anne:
> Nina? Ja.

Leo:
> Ja?! Kann ich die mal sprechen?

Anne:
> Wie heißt du denn?

Leo:
> Ich heiße Leo.

Anne:

Bist du der Freund von Nina?

Leo:

Na ja, Freund ... Ich kenne sie eben.

Anne:

Ah, ja.

Leo:

Ist sie zu Hause?

Anne:

Ja.

Leo:

Kann ich sie mal sprechen?

Anne:

Nein.

Leo:

Nein?

Anne

Nein.

Leo:

Warum nicht?

Anne:

Sie muss arbeiten. Ich darf sie nicht stören.

Leo:

Ach, schade. Ja, sagst du ihr dann, dass ich angerufen habe?

Anne:

O.k.

Leo:

Ja, dann, Wiederhören.

Anne:

Auf Wiederhören.

Nina:

Was war?

Anne:

Telefon für dich!

Nina:

Wer?

Anne:

Dein Geliebter!

Nina:

Wer?

Anne:

Dein Geliebter. Theo oder Leo oder so.

Nina:

Leo?! Warum hast du mich nicht gerufen?!

Anne:

Ich durfte dich ja nicht stören!

Nina:

Ich bring dich um!

Anne:

Mama!

Nina:

Ich bring dich um!

Anne:

Mama!!

Worterklärungen:

doof = blöd, langweilig, nicht gut; engl.: *stupid, dull*
Ey! = Ausdruck von Protest

Arbeitsschritte:

Wie beschrieben in der Einführung (1.6) und für Folge 5 (Achtung: eine Unterbrechung!)

Antwortschlüssel Arbeitsblatt 7:

1. Anne spielt zu laut Musik und übt Saxophon.
2. von Anne
∗ Du Doofe! Doofe Kuh!
3. für Nina
4. **c)** Bedauern
∗ Auf Wiederhören!
5. weil Anne sie nicht ans Telefon gerufen hat

Folge 8 „Der Anruf"
Spieldauer: 3'48"
Personen: Nina, Anne, Leo
Unterrichtszeit: 25 Minuten

Nina:
  Hä, Anne, alles ist nass.
Anne:
  Quatsch*, der Teller ist trocken.
Nina:
  Nicht der Teller. Der Boden. Der Boden ist
  ganz nass.
Anne:
  Ja, du planschst*!
Nina:
  Nee, du tropfst*!
Anne:
  Quatsch.
Nina:
  Ich gehe schon.
Anne:
  Nee, ich gehe schon! Du hast ja nasse
  Hände! Das tropft!
  Anne Hansen … Ja … Ja … Ich weiß
  nicht …
Nina:
  Anne? Wer ist es?
Anne:
  Vielleicht …
Nina:
  Anne?
Anne:
  Moment …
  Nina? Kann ich dich stören?
Nina:
  Wer ist es denn?
Anne:
  Ich weiß nicht. Schmandmann oder so.
Nina:
  Schmandmann?
  Nina Hansen.
Leo:
  Tag, Nina. Leo. Leo Sandmann.

Nina:
  Leo! Du bist der Leo mit dem Fahrrad!

——————— UNTERBRECHUNG ———————

Leo:
  Wie geht es dir?
Nina:
  Gut. Und dir?
Leo:
  Gut. Ich habe schon mal angerufen.
Nina:
  Ich weiß. Meine Schwester …
Leo:
  Warst du noch pünktlich* beim Test?
Nina:
  Ja, du. Super!
Anne:
  Nina!
Nina:
  Moment. Was denn?!
Anne:
  Komm abwaschen!
Nina:
  Mensch, ich telefoniere!
Anne:
  Das Wasser wird kalt!
Nina:
  Ich telefoniere!
Leo:
  Störe ich?
Nina:
  Nee. Überhaupt nicht.
  Und du? Hast du noch gut geschlafen?
Leo:
  Wie ein Bär!
Anne:
  Nina!!
Nina:
  Mensch, Anne, du störst!
Anne:
  Dauert es noch lange?
Nina:
  Ich werde wahnsinnig!

Leo:

Kann ich dich denn noch mal ohne kleine Schwester sprechen?

Nina:

O.k.

Leo:

Wann denn?

Nina:

Diese Woche?

Leo:

Gut.

Nina:

Am Samstag?

Leo:

O.k. Wann?

Nina:

8 Uhr?

Leo:

O.k. ... Soll ich dich abholen?

Nina:

Gut.

Leo:

Ja, dann bis Samstag?

Nina:

Ja, dann bis Samstag.

Leo:

Ja, dann, tschüs.

Nina:

Ja, tschüs dann. Bis Samstag.

Leo:

Tschüs!

Nina:

Tschüs!

Samstag, Samstag, Samstag!

Anne:

Jetzt ist das ganze Wasser kalt!

Nina:

Macht nichts, mein Schätzchen*! Macht nichts!

Anne:

Äh!

Worterklärungen:

Quatsch = Unsinn; engl.: *nonsense*

planschen = im Wasser spielen und dabei Hände und Füße so bewegen, dass das Wasser spritzt, herumspritzen; engl.: *to splash*

tropfen = in einzelnen Tropfen herabfallen; engl.: *to be dripping, to drip*

pünktlich = genau zu der Zeit, die festgelegt oder vereinbart war; engl.: *punctual*

Schätzchen = Kosewort, liebevolle Anrede im Privatbereich; engl.: *sweetheart, darling*

Arbeitsschritte:

Wie beschrieben in der Einführung (1.6) und für Folge 5 (Achtung: eine Unterbrechung!)

Antwortschlüssel Arbeitsblatt 8:

1. Das Telefon klingelt und sie geht zum Telefon.

* Weil Nina nasse Hände hat. Das tropft.

2. Leo

3. ...

* **b)** diese Woche

4. Samstag

5. 8 Uhr

6. **c)** Mein Schätzchen!

Folge 9 „Das Auto"
Spieldauer: 3'10"
Personen: Leo, Leos Vater
Unterrichtszeit: 25 Minuten

Vater:
Na los! Los!

Leo:
Sag mal, Papa, kann ich Samstag dein Auto haben?

Vater:
Wie bitte?

Leo:
Kann ich Samstag dein Auto haben?

Vater:
Auto. Auto. Du hast doch ein Fahrrad.

Leo:
Samstag will ich aber kein Fahrrad. Samstag will ich gerne dein Auto.

Vater:
Brauche ich selber.

Leo:
Du! Du sitzt doch den ganzen Abend vor der Glotze*!

Vater:
Du willst das Auto nur abends?

Leo:
Ja. Nur abends. So um 8.

——————— UNTERBRECHUNG ———————

Vater:
Was ist denn eigentlich los? Eine neue Freundin oder was?

Leo:
Hmm.

Vater:
Und? Wie heißt sie?

Leo:
Nina.

Vater:
Nina? Ist das die kleine Blonde mit den langen Haaren?

Leo:
Nein.

Vater:
Die Rote? Mit den braunen Augen?

Leo:
Nein. Das ist eine Kollegin.

Vater:
Kollegin! Kollegin! Das kenne ich!
Und dann am Samstagabend arbeiten!

Leo:
Papa …

Vater:
Nachtdienst! In meinem Auto!

Leo:
Also gut: Sie heißt Nina. Sie ist zwei Meter zehn. Sie hat grüne Haare und einen Vollbart*. O.k.? Kann ich den Wagen jetzt haben oder nicht?

Vater:
Hä?

Leo:
Also, was ist jetzt: ja oder nein?

Vater:
Da! Die schlafen ein! Rennen! Rennen! Mein Gott!

Leo:
Papa! Was ist jetzt: ja oder nein?

Vater:
Ja, ja. Von mir aus.

Leo:
Danke. Nett von dir.

Vater:
Aber pass auf, du!

Leo:
Klar!

Vater:
Mit dem Auto, meine ich!

Leo:
Ja, ja, ist klar!

Vater:
Dass mir nichts dran kommt an den Wagen!

Leo:

Natürlich nicht. Ich passe schon auf. Keine Panik!

Vater:

Da! Da! Guck dir das an! Tor! Tor!!

Arbeitsschritte:

Wie beschrieben in der Einführung (1.6) und für Folge 5 (Achtung: eine Unterbrechung!)

Worterklärungen:

Glotze = (umgangssprachlich) Fernsehgerät; engl.: *TV, the box*

Vollbart = Bart, der das Kinn, die Oberlippe und die Wangen bedeckt; engl.: *(full) beard*

Antwortschlüssel Arbeitsblatt 9:

1. das Auto von seinem Vater
2. am Samstag
3. um 8 Uhr
* nein
4. ...
* weil er eine Freundin hat
5. wie die Freundin aussieht
6. ja
7. auf das Auto

Folge 10 „Nichts anzuziehen"
Spieldauer: 5'01"
Personen: Nina, Mutter, Anne, Leo
Unterrichtszeit: 30 Minuten

Nina:

Wie spät ist es? Halb 8!

Mensch, was soll ich bloß anziehen?

Eine Hose? Ein Kleid? Nee, ein Kleid ist doof. Eine Hose. Die grüne? Die blaue? Nee, die rote! Wo ist die rote? Wo ist bloß die rote Hose?

Mama! Wo ist meine rote Hose?!

Mutter:

In der Wäsche!

Nina:

In der Wäsche! So ein Mist!

Und mein T-Shirt? Wo ist mein rotes T-Shirt? Anne!

Anne:

Ja!

Nina:

Anne?

Anne:

Ja?

Nina:

Weisst du, wo mein rotes T-Shirt ist?

Anne:

Nee, weiß ich nicht.

Nina:

Anne!

Anne:

Nee, weiß ich nicht! Echt nicht! Immer ich!

Nina:

Ich werde wahnsinnig! Was soll ich denn bloß anziehen?

Anne:

Zieh was Schwarzes an. Das ist sexy.

Nina:

Sexy!

Anne:

Ja, sexy! Dann küsst* er dich!

Nina:

Anne!

Anne:

Willst du, dass er dich küsst?

Nina:

Anne!

Anne:

Du ziehst dir was Schwarzes an. Und dann geht ihr ins Kino*. Und dann küsst er dich!

Nina:

Also, Anne!

——————— UNTERBRECHUNG ———————

Nina:

Mama! Wo ist mein rotes T-Shirt?

Mutter:

Rotes T-Shirt?

Nina:

Ja!

Mutter:

Meinst du das hier?

Nina:

Ja! Danke. Wo war es?

Mutter:

Bei mir.

Nina:

Bei dir?

Mutter:

Ja.

Nina:

Wieso bei dir?

Mutter:

Na ja, meine rote Bluse war in der Wäsche, und da dachte ich …

Nina:

Du hast mein T-Shirt angezogen!

Mutter:

Nur einmal.

Nina:

Und jetzt stinkt* es!

Mutter:

Ich habe es nur einmal angezogen.

Nina:

Ja, es stinkt! Es stinkt nach deinem Deo!

Jetzt kann ich es nicht anziehen! So ein Mist!

Mutter:

Tut mir Leid.

Nina:

Das finde ich doof von dir! Einfach mein T-Shirt anziehen!

Mutter:

Ich sage ja: Es tut mir Leid.

Nina:

Und gleich ist es 8! Und ich habe nichts anzuziehen!

Mutter:

Willst du meinen Pullover haben?

Nina:

Deinen Pullover? Welchen?

Mutter:

Den schwarzen.

Nina:

Den schwarzen?

Mutter:

Ja.

Nina:

Deinen neuen schwarzen Pullover?

Mutter:

Ja.

Nina:

Ja! Gerne!

Mutter:

Aber nur einmal!

Nina:

Klar! Nur einmal! Du, das ist nett von dir! Das ist riesig nett von dir!

Mutter:

Na, dann komm.

——————— UNTERBRECHUNG ———————

Nina:

Ich gehe schon!

Anne:

Nee, ich gehe!

Mutter:

Anne!

Anne:

Tag. Bist du der Leo?

Leo:

Ja. Ich bin der Leo.

Anne:

Ich bin Anne.

Leo:

Tag, Anne.

Anne:

Komm rein.

Leo:

Danke.

Anne:

Also, ich weiß nicht, ob ich die Nina stören kann. Die weiß nämlich nicht, was sie anzieh…

Nina:

Anne! Tag, Leo!

Leo:

Tag, Nina.

Anne:

Was hast du denn an?

Nina:

Anne! Also, ich bin fertig.

Anne:

Ihr habt ja beide was Schwarzes an!

Leo:

Ja, stimmt.

Anne:

Siehst du, Nina, ich habe ja gesagt: Zieh was Schwarzes an. Schwarz ist …

Nina:

Anne! Also, ich bin fertig. Wollen wir gehen?

Leo:

O.k.

Anne:

Wo geht ihr denn hin?

Nina:

Weiß ich noch nicht. Mama! Wir gehen! Tschüs!

Mutter:

Tschüs!

Anne:

Geht ihr ins Kino?!

Worterklärungen:

küssen = die Lippen von jemandem mit dem Mund berühren als Ausdruck der Zuneigung; engl.: *to kiss*

Kino = Raum oder Haus, in dem Filme gezeigt werden; engl.: *cinema, movie theater*

stinken = schlecht riechen; engl.: *to smell bad, to stink*

Arbeitsschritte:

Wie beschrieben in der Einführung (1.6) und für Folge 5 (Achtung: zwei Unterbrechungen!)

Antwortschlüssel Arbeitsblatt 10:

1. ihre rote Hose und ihr rotes T-Shirt
2. etwas Schwarzes anzuziehen
* weil Anne findet, dass Schwarz sexy ist und dass Leo Nina dann küsst
3. bei der Mutter
* Die Mutter hat sich das rote T-Shirt geliehen, weil ihre rote Bluse in der Wäsche war.
4. einen schwarzen Pullover
5. von ihrer Mutter
* dass Nina nicht weiß, was sie anziehen soll, und dass Anne gesagt hat: Schwarz ist sexy.
6. dass beide etwas Schwarzes anhaben
7. ob sie ins Kino gehen

Folge 11 „Ein Toter"
Spieldauer: 6'27"
Personen: Nina, Leo
Unterrichtszeit: 30 Minuten

Nina:
So ein blöder Film!

Leo:
Blöd? Also ich finde den Film ganz gut.

Nina:
Und warum hat der Disk-Jockey den Kanarienvogel* erschossen?

Leo:
Ich weiß es nicht. Der Kanarienvogel wusste zu viel!

Nina:
Also ich finde das Quatsch.

Leo:
Du musst aber drüber lachen!

Nina:
Ich muss über dich lachen!

Leo:
Du musstest auch lachen, als ich dich gefragt habe, ob du Lust hast, ins Kino zu gehen. Warum eigentlich?

Nina:
Ach, nichts …

Leo:
Du wirst rot!

Nina:
Quatsch!

Leo:
Hast du Lust, noch was zu trinken?

Nina:
Wie spät ist es denn?

Leo:
Ein Uhr.

Nina:
Nee, du, dann muss ich nach Hause.

Leo:
Schade*!

Nina:
Mensch, guck mal wie das regnet!

Leo:
Ach du dickes Ei! … Willst du meine Jacke?

Nina:
Nee, danke. Nett von dir. Aber das ist kein Problem.

Leo:
Zum Auto?

Nina:
O.k.

Leo:
Rennen?

Nina:
Rennen! 3, 2, 1 … los!

—————— UNTERBRECHUNG ——————

Leo:
Du bist ganz nass!

Leo denkt:
Schön sieht sie aus mit den nassen Haaren.

Nina:
Macht nichts.

Nina denkt:
Macht wohl was. Jetzt sehe ich natürlich aus wie eine nasse Ratte. So ein Mist! Im Film sehen die immer schön aus. Auch mit nassen Haaren.*

Leo denkt:
An ihrem Ohr hängt ein Regentropfen. Am liebsten …

Nina:
Haben wir ja Glück gehabt, dass dein Vater dir sein Auto gegeben hat.

Leo:
Ja. Bei dem Regen.

Leo denkt:
Vater:
Nachtdienst! In meinem Auto!

Nina:
Hey, jetzt wirst du rot!

Leo:
Quatsch!
Also, dann bringe ich dich jetzt nach Hause?

Nina:
O.k.

(Leo denkt:

Eigentlich schade mit dem Auto. Ich würde lieber einfach laufen. Dann könnte ich ihr den Arm um die Schulter legen.

Nina denkt:

Eigentlich schade mit dem Auto. Ich würde lieber mit seinem Fahrrad fahren. Dann könnte ich ihn festhalten.

Leo denkt:

Ich muss was sagen!

Nina denkt:

Ich muss was sagen!

Leo:

Und was …

Nina:

Und seit wann …

Leo:

Du.

Nina:

Nee, du!

Leo:

Und was machst du sonst so, wenn du frei hast?

Nina:

Och, Kino finde ich gut und Lesen und Musik hören, und ich tanze gerne.

Leo denkt:

Tanzen! Oh Gott! Ich kann überhaupt nicht tanzen!

Nina denkt:

Warum sagt er nichts? Warum sagt er nicht: Sollen wir mal tanzen gehen? Er will nicht. Er hat keine Lust mehr. Er fand es nicht gut heute Abend …

Leo denkt:

Ich muss was sagen! Ich muss was sagen!

————————— UNTERBRECHUNG —————————

Leo:

Ja, ja, Entschuldigung. Nicht aufgepasst.

Nina:

Wie lange hast du eigentlich deinen Führerschein*?

Leo:

Angst?

Nina:

Quatsch.

Nina denkt:

Ich will nur wissen, wie alt du bist.

Leo:

Seit einem Jahr ungefähr.

Nina denkt:

Dann ist er jetzt 19.

Leo denkt:

Sie guckt mich an. Sie sieht meinen Pickel. Der blöde Pickel! Ausgerechnet heute. Ausgerechnet rechts! Mist! Im Film haben die nie Pickel.*

Nina:

Hee, wir sind da!

Leo:

Wie bitte?

Nina:

Wir sind da.

Leo:

Ja. Natürlich.

Nina:

Was war das?

Leo:

Ach du dickes Ei! Nicht gesehen.

Nina:

Bei dem Regen.

Leo:

Tja …

Nina:

Ist nicht schlimm. Guck mal. Nur ein kleiner Kratzer*.

Leo:

Nur ein kleiner Kratzer …

Nina:

Doch schlimm?

Leo:

Nur ein Toter.

Nina:

Wieso ein Toter?

Leo:

Entweder mein Vater oder ich.

Nina:

Wie bitte?

Leo:

Entweder mein Vater kriegt einen Herzinfarkt oder er bringt mich um.

Worterklärungen:

Kanarienvogel = gelber oder rötlicher kleiner Vogel, den man als Haustier in Käfigen hält; engl.: *canary*

Schade! = Ausruf des Bedauerns, wenn man über etwas traurig ist; engl.: *what a pity!*

Ratte = (Nage)Tier mit einem dünnen Schwanz, das wie eine große Maus aussieht; engl.: *rat*

Führerschein = Dokument, das jemanden dazu berechtigt, ein Auto, ein Motorrad oder einen Lastwagen zu fahren; engl.: *driving licence, driver's license*

Pickel = eine kleine runde Erhebung auf der Haut, die meist rot und entzündet ist; engl.: *spot, pimple*

Kratzer = kleine Beschädigung an der Oberfläche von etwas (Lack, Haut etc.); engl.: *scratch*

Arbeitsschritte:

Wie beschrieben in der Einführung (1.6) und für Folge 5 (Achtung: zwei Unterbrechungen!)

Weisen Sie bei dieser Folge vor dem Hören darauf hin, dass in dieser Folge auch die Gedanken der Personen zu hören sind (mit Hall).

Antwortschlüssel Arbeitsblatt 11:

1. im Kino
2. noch etwas zu trinken
* ein Uhr
3. **b)** Sie ist nicht einverstanden.
* **a)** Leo
4. **c)** würde lieber auf Leos Fahrrad sitzen
5. **a)** ins Kino gehen
   d) lesen
   e) Musik hören
   h) tanzen
6. 19
* an seinen Pickel
7. **d)** einen Kratzer am Auto

Folge 12 „Sonntagmorgen"
Spieldauer: 4'39"
Personen: Leo, Leos Vater
Unterrichtszeit: 30 Minuten

Vater:

Ach, herrlich, so ein Sonntagmorgen! Kaffee, Zeitung und Ruhe.

Leo:

Morgen.

Vater:

Guten Morgen, mein Sohn! Deine Mutter schläft noch. Kaffee?

Leo:

Hmm.

Vater:

Ist das nicht herrlich, so ein Sonntagmorgen: Kaffee, Zeitung und ein Ei - herrlich! Du auch ein Ei?

Leo:

Nee, danke.

Vater:

Keinen Appetit?

Leo:

Och.

Vater:

Junge, Eier sind wichtig! In deinem Alter konnte ich drei Eier essen! Das braucht ein Mann!

Leo:

Hier sind die Autoschlüssel.

Vater:

Alles klar. Und? Wie war es mit dem Mädchen? Wie heißt sie?

Leo:

Nina.

Vater:

Nina. Richtig! Die Blonde.

Leo:

Sie ist nicht blond.

Vater:

Entschuldigung, Sohnemann*. Entschuldigung. Also die Dunkle. Ist ja auch egal. Und wie war's?

Leo:

Gut.

Vater:

Gut. Gut. Und was weiter?

Leo:

Wie: was weiter?

Vater:

Na, ich meine, was weiter? Hast du ... Du weisst schon. Hast du sie ...?

Leo:

Mensch, Papa.

————— UNTERBRECHUNG —————

Leo:

Papa?

Vater:

Hmm.

Leo:

Mit dem Auto ...

Vater:

Alles klar.

Leo:

Mit dem Auto gestern ...

Vater:

Schon gut.

Leo:

Es hat so geregnet.

Vater:

Hmm.

Leo:

So ein Mistwetter.

Vater:

Ja, ja, besser mit dem Auto als mit dem Fahrrad, was? Gut, dass ich gestern zu Hause war. Gutes Spiel übrigens. 2:0. Mensch du, das zweite Tor ...

Leo:

Ich wollte sagen: Mit dem Auto ...

Vater:

Ich sage doch, alles klar, kein Problem. War schließlich auch mal 19. Aber das zweite Tor, du ...

Leo:

Doch ein Problem.

Vater:

Wie bitte?

Leo:

Doch ein Problem.

Vater:

Was: doch ein Problem?

Leo:

Es gibt doch ein Problem.

Vater:

Wieso?

Leo:

Es hat so geregnet.

Vater:

Ja und?

Leo:

Man konnte nichts sehen.

Vater:

Und?

Leo:

Na ja, tut mir Leid.

Vater:

Was tut dir Leid?

Leo:

Na ja, beim Rückwärtsfahren …

Vater:

Du willst doch nicht sagen …?

Leo:

Doch.

Vater:

Du, du willst doch nicht sagen, dass du mein Auto ruiniert hast?!

Leo:

Ist nur ein kleiner Kratzer.

Vater:

Nur ein kleiner Kratzer!!

Das darf doch nicht wahr sein! Spielt den Supermann bei den Mädchen und ruiniert mir mein Auto! Mein Auto!

Leo:

Mensch, mit einem Lackstift* kann ich dir das wieder reparieren.

Vater:

Du?! Du fasst mein Auto überhaupt nicht mehr an! Nie mehr!

Ein Kratzer! Auf meinem Auto! Das gucke ich mir an! Das gibt es doch nicht! Ein Kratzer! Auf meinem Auto!! So was! Das gibt es doch nicht!

Leo:

Papa! Du hast noch deinen Pyjama* an!

Worterklärungen:

Sohnemann = scherzhafte Bezeichnung für *Sohn*
Lackstift = Stift zum Ausbessern kleiner Lackschäden; engl.: *touch up paint*
Pyjama = Schlafanzug; engl.: *pyjamas, pajamas*

Arbeitsschritte:

Wie beschrieben in der Einführung (1.6) und für Folge 5 (Achtung: eine Unterbrechung!)

Antwortschlüssel Arbeitsblatt 12:

∗ Sie schläft noch.
1. ein Ei

2. die Autoschlüssel
3. Nina
4. über den Unfall
5. vom Fußballspiel
6. ja
∗ das Auto selbst zu reparieren
∗ **b)** lehnt das Angebot ab
7. dass er seinen Pyjama anhat

Folge 13 „Ein Eis"
Spieldauer: 6'16"
Personen: Nina, Leo, Anne, Verkäufer
Unterrichtszeit: 30 Minuten

Leo:

… und dann hat er gebrüllt: „Mein Auto! Ein Kratzer auf meinem Auto! Das gucke ich mir an!" Und dann ist er im Pyjama auf die Straße gerannt!

Nina:

Im Pyjama?! Ein Glück, dass er nicht unter der Dusche stand, als du es ihm erzählt hast!

Und jetzt? Kannst du es selber reparieren?

Leo:

Ich kann schon, aber er will es nicht. „Du fasst mein Auto nicht mehr an!" Er bringt es in eine Werkstatt.

Nina:

Das kostet viel Geld, was?

Leo:

Na ja, ich mache ein paar Nachtdienste extra.

Nina:

Ist ja doof. Tut mir Leid.

Ich glaube, ich hol uns mal ein Eis, was?

Leo:

Ich geh schon.

Nina:

Nee, nee, du hast kein Geld!

Leo:

Also so schlimm ist es ja auch wieder nicht!

Nina:

Nee, nee, ich gehe!

Schokolade oder Vanille?

──────── UNTERBRECHUNG ────────

Verkäufer:

Ja, bitte?

Nina:

Zwei Eis, bitte. Vanille. Was kostet das?

Verkäufer:

Vier Mark … Und sechs Mark zurück.

Anne:

Nina!

Nina:

Danke.

Anne:

Hallo, Nina!

Nina:

Ach du dickes Ei! Das darf nicht wahr sein! Anne! Was machst du denn hier?!

Anne:

Im Schwimmbad schwimme ich. Und du?

Nina:

Ich werde wahnsinnig!

Anne:

Hmm, Eis! Lecker!

Nina:

Hee! Das ist nicht für dich!

Anne:

Für wen denn?

Nina:

Für Leo.

Anne:

Für Leo. Natürlich! Wo ist der Leo denn?

Nina:

Dahinten.

Anne:

Wo dahinten?

Nina:

Na, bei der Dusche.

Anne:

Ah ja … Iii! Der hat ja ganz dünne Beine!

Nina:

Quatsch.

Anne:

Und der hat ja ganz viele Haare auf den Beinen! Ganz viele!

Nina:

So ein Quatsch!

Anne:

Wenigstens hat er keine Haare auf der Brust. Haare auf der Brust. Iii! Wie ein Gorilla.

Nina:

Ja, ja, ist ja gut. Also, Anne, ich gehe mal wieder.

Anne:

Ich gehe mit.

Nina:

Nee!

Anne:

Warum nicht?

Nina:

Weil du störst.

Anne:

Immer störe ich.

Nina:

Ich möchte eben gerne meine Ruhe haben.

Anne:

Deine Ruhe. Immer deine Ruhe.

Nina:

Sag mal, Anne, möchtest du vielleicht ein Eis?

Anne:

Ja!

Nina:

So ein großes mit Schokolade?

Anne:

Ja! Lecker!

Nina:

Dann musst du mich aber auch in Ruhe lassen, ja?

Anne:

O.k.

Nina:

Ehrenwort?

Anne:

Ehrenwort.

Nina:

Ein großes Schokoladeneis, bitte.

Anne:

Wieso *ein* Eis? Ich bin hier mit Monika, Julia, Fatima, Lili und Katharina!

————— UNTERBRECHUNG —————

Nina:

Sag mal, Leo, sollen wir vielleicht noch woanders hingehen? Hier wird es so voll.

Leo:

Voll? Findest du? O.k. Und wohin?

Nina:

Sollen wir vielleicht zusammen essen?

Leo:

Gute Idee.

Nina:

Und wo?

Leo:

Wir können bei mir zu Hause essen.

Nina:

Bei dir?

Leo:

Ja?

Nina:

Finden deine Eltern das denn o.k.?

Leo:

Meine Eltern? Klar. Warum nicht?

Nina:

Ich meine, die kennen mich doch gar nicht.

Leo:

Nee, aber ich kenne dich doch!

Nina:

O.k. Und wer kocht?

Leo:

Ich koche.

Nina:

Du kannst kochen?

Leo:

Klar kann ich kochen.

Nina:

Und was kannst du kochen?

Leo:

Hmm, mal sehen. Was steht denn heute auf der Karte? Kuhaugen in Champagnercreme, Schwimmflügel* mit Chloraroma* oder Spaghetti à la Leo!

Nina:

Ich glaube, ich nehme die Spaghetti.

Leo:

Sehr gut! Die Spaghetti sind die Spezialität des Hauses.

Dazu einen vollen Rotwein. Und hinterher vielleicht ein *grand dessert surprise du frigidaire?*

Nina:

Und was ist das?

Leo:

Das ist: Ich-weiß-nicht-was-noch-im-Kühlschrank-steht!

Nina:

Na, dann mal los!

Worterklärungen:

Schwimmflügel = mit Luft gefüllte Plastikringe, die ein Kind im Wasser an den Armen trägt, wenn es nicht schwimmen kann; engl.: *water wings*

Chlor = chemisches Element zum Desinfizieren von Wasser; engl.: *chlorine*

Arbeitsschritte:

Wie beschrieben in der Einführung (1.6) und für Folge 5 (Achtung: zwei Unterbrechungen!)

Antwortschlüssel Arbeitsblatt 13:

* weil der Vater dann vielleicht nackt auf die Straße gelaufen wäre
* dass Leo ein paar Nachtdienste extra machen muss, um Geld für die Autoreparatur zu verdienen
1. ein Eis zu holen
2. weil er kein Geld hat

3. 2 Mark (zwei Eis kosten 4 Mark!)
4. Anne
5. Leo
* dünne, behaarte Beine und keine Haare auf der Brust
6. mit Gorillas
7. a) woanders hinzugehen
   b) zusammen zu essen
   d) zu Leo nach Hause zu gehen
* ob sie es o.k. finden, wenn Nina kommt
8. Leo
9. Spaghetti

Folge 14 „Spaghetti à la Leo"
Spieldauer: 7'30"
Personen: Nina, Leo
Unterrichtszeit: 35 Minuten

Leo:

So, hier wohne ich also.
Wir wohnen ganz oben.

Nina:

Dritte Etage?

Leo:

Hmm.

Leo denkt:

Ich habe nicht aufgeräumt. Mein Zimmer ist das totale Chaos. Hoffentlich liegen meine Stinksocken nicht wieder auf dem Tisch!

Nina denkt:

Spannend. Ob seine Eltern nett sind? Was sagen die bloß, wenn ich plötzlich mitkomme? Leo hätte besser vorher anrufen sollen. Hoffentlich fängt der Vater nicht von dem Auto an.

Leo denkt:

Hoffentlich ist keiner zu Hause. Ich möchte mit ihr alleine sein. Mensch, mir wird warm. Werde ich rot? Nein, bitte nicht!!

Leo:

So, da sind wir!
Hallo? Jemand zu Hause? Keiner da.
Hier ist mein Zimmer. Komm rein ins Chaos.
Ich weiß nicht warum, aber hier ist immer Chaos.

Nina:

Also ich finde Chaos gemütlich.

Leo:

Ja?

Nina:

Ja, ... fühle ich mich gleich wie zu Hause.

Leo:

Setz dich doch.

Nina:

Ähm ...

Leo:

Ach so. Moment.
Wusste ja nicht, dass du kommst.

Nina:

Kein Problem.

Leo:

Möchtest du was trinken?

Nina:

Hast du Cola?

Leo:

Habe ich. Moment.

So ein Mist! Cola ist alle*! Immer meine Cola!

Nina:

Mineralwasser?!

Leo:

Auch alle! Tut mir Leid. Rotwein?

Nina:

O.k.!

Leo:

Prost!

Nina:

Prost! Auf die Spaghetti à la Leo!

————— UNTERBRECHUNG —————

Leo:

So, fast fertig. Noch ein bisschen Oregano. Probier mal. Pass auf, ist heiß.

Nina:

Klasse, Leo, echt. Große Klasse!

Leo:

O.k. Wir können essen!

Nina:

Warten wir denn nicht auf die anderen?

Leo:

Nee, du. Ich weiß ja gar nicht, wann die kommen. Ich weiß ja nicht mal, ob die überhaupt kommen.

Nina:

Esst ihr denn nicht zusammen?

Leo:

Manchmal. In der Woche. Aber am Wochenende macht jeder, was er will.

Nina:

Aha.

Leo:

Die sind auch oft weg. Manchmal schlafen die gar nicht hier.

Nina:

Nee?

Leo:

Und unser Alter* hat eine neue Freundin. Große Liebe! Da ist er jetzt auch oft.

Nina:

Oh. Und was sagt deine Mutter dazu?

Leo:

Meine Mutter?

Nina:

Oder weiß die das nicht?

Leo:

Meine Mutter? Nee. Über so was rede ich mit meiner Mutter nicht.

Nina:

Nee?

Leo:

Nee. Das geht sie doch auch nichts an?

Nina:

Du findest, das geht deine Mutter nichts an?

Leo:

Nee.

Nina:

Na hör mal! Wie kannst du sagen, das geht deine Mutter nichts an!

Leo:

Warum wirst du denn so böse?

Nina:

Willst du das später auch so machen?

Leo:

Was?

Nina:

Eine Freundin haben, wenn du verheiratet bist!

Leo:

Aber Thomas ist doch nicht verheiratet!

Nina:

Sind deine Mutter und Thomas nicht verheiratet?

Leo:

Meine Mutter und Thomas?! Um Gottes willen, nein! Wie kommst du da denn drauf?

Nina:

Jetzt verstehe ich überhaupt nichts mehr!

——— UNTERBRECHUNG ———

Nina:

Und ich dachte, du wohnst bei deinen Eltern!

Leo:

Ja, und ich habe überhaupt nicht daran gedacht, dass du nicht weißt, dass ich mit Thomas und Peter zusammenwohne! Thomas - mein Vater! Das ist gut!

Nina:

Du hast gesagt „unser Alter"!

Leo:

Ja. Thomas ist 23. Der ist der Älteste von uns dreien. Darum sagen wir „unser Alter".

Nina:

Wer sind Thomas und Peter eigentlich?

Leo:

Thomas ist der, der meine Cola austrinkt und keine neue kauft. Und Peter ist der, der mein Mineralwasser austrinkt und kein neues kauft.

Und ansonsten sind Peter und Thomas Kollegen von mir. Wir teilen uns die Wohnung. Alleine könnte ich eine Wohnung gar nicht bezahlen. Viel zu teuer.

Noch ein bisschen Spaghetti?

Nina:

Nee, du. Danke. Ich kann nicht mehr!

Leo:

Was? Du kannst nicht mehr? Jetzt kommt doch noch *le grand dessert surprise du frigidaire*!

Aha! Zwei Bananenjoghurt! Von Thomas.

Nina:

Von Thomas?

Leo:

Ja. Bitte schön.

Nina:

Dürfen wir die denn essen?

Leo:

Klar! Auge um Auge, Zahn um Zahn. Sein Bananenjoghurt für meine Cola!

Nina:

Und Peter?

Leo:

Von Peter war der Rotwein! Prost!

Worterklärungen:

alle, etwas ist alle = etwas ist ausgegangen; engl.: *to run out of*

unser Alter = (gesprochen von Jugendlichen) Vater; engl.: *our old man*

Arbeitsschritte:

Wie beschrieben in der Einführung (1.6) und für Folge 5 (Achtung: zwei Unterbrechungen!)

Weisen Sie darauf hin, dass am Anfang dieser Folge Gedanken zu hören sind.

Antwortschlüssel Arbeitsblatt 14:

1. **a)** dass seine Socken nicht auf dem Tisch liegen
   c) dass keiner zu Hause ist
   d) dass er nicht rot wird

* dass Leos Vater nicht über das Auto redet
2. **b)** die Cola
   d) das Mineralwasser
3. Prost!
4. nein
* **b)** manchmal
5. **a)** dass seine Mutter manches nichts angeht
6. **e)** böse
7. **c)** Leos Mitbewohner
   e) Leos Kollege
* 3
8. von Thomas
9. von Peter

Folge 15 „Zu zweit"
Spieldauer: 8'12"
Personen: Leo, Nina, Thomas , Marion,
        Peter
Unterrichtszeit: 35 Minuten

Nina:
   Mensch, du hast ja wirklich viele CD's!

Leo:
   Hmm.

Nina:
   Was ist das hier für eine?

Leo:
   Willst du mal hören?

Nina:
   Ja.

Nina denkt:
   Das ist eine langsame. Die kenne ich.

Leo denkt:
   Das ist eine langsame. Glück gehabt!
   Kann ich mich jetzt neben sie setzen oder
   ist das zu direkt?

Nina:
   Schön, so eine eigene Wohnung. Hat man
   seine Ruhe. Keine kleine Schwester, die
   einen stört.

Leo:
   Also ich finde deine kleine Schwester ganz
   niedlich*.

Leo denkt:
   Aber dich finde ich noch viel niedlicher. Ich
   möchte mich neben sie setzen. Aber nicht
   so direkt. Wie mache ich das bloß? Das
   Foto!

Leo:
   Hier, Nina, guck mal. Hast du das Foto
   schon gesehen?

Nina:
   Nee.

Leo:
   Hier, das ist ... Moment.
   Leo Sandmann ... Nein, tut mir Leid, der ist
   nicht da ... Das weiß ich nicht ... O.k. ...

   Wiederhören.
   Für Thomas. Jacqueline.

Nina:
   Wer ist das?

Leo:
   Weiß ich auch nicht. Hat gestern auch
   schon zweimal angerufen. Für Thomas
   rufen ständig irgendwelche Mädchen an.
   Thomas ist unser Don Juan vom Dienst ...
   Hier, guck mal: Das ist Thomas. Und das ist
   Peter.

Nina:
   Ah ja.

Leo:
   Das war in Österreich. Letztes Jahr. Beim
   Skifahren. Klasse war das! ...

Nina denkt:
   Interessiert mich eigentlich überhaupt nicht.
   Hauptsache, er sitzt jetzt neben mir.
   Endlich! Warum redet er bloß so viel?

Leo:
   ... ist doch blöd oder?

Nina:
   Wie bitte?

Leo:
   Moment.
   Leo Sandmann ... Ach du ... Ja, mache
   ich ... Ist klar ... Wie immer ... o.k. ...
   Was? ... Nee, nichts ist ... Ja, du ... alles
   klar ... o.k. ... Tschüs dann ... ja ... Tschüs!

Nina:
   Jacqueline?

Leo:
   Nee, Renate.

Nina:
   Für Thomas?

Leo:
   Nee. Für mich.

Nina:
   Oh.

Leo:
   Renate ist klasse.

Nina:
   Ah ja?

Leo:

Richtig nett ist die.

Nina:

Hmm.

Leo:

Wir kennen uns schon lange.

Nina:

Aha.

Leo:

Renate ist nämlich meine Mutter.

Nina:

Blödmann.

———————— UNTERBRECHUNG ————————

Leo:

Und hier, guck mal, das ist der Peter, der Thomas und ich ...

Nina:

Was ist das?

Thomas:

Leo? Hallo!

Leo:

Das ist Thomas.

Thomas:

Spaghetti! Lecker! Warum bist du schon zu Hause? War es nichts mit deiner Nina? Hab dir ja gesagt, 16 ist zu jung! Viel zu jung!

Oh ...

Nina:

Tagchen. Ich bin Nina. Und du bist sicher der Babysitter, stimmt es?

Thomas:

Entschuldigung, ich wollte nicht stören.

Leo:

Tust du aber.

Thomas:

Bin gleich wieder weg. Ziehe mir nur eben was anderes an. Marion wollte ...

Ach, da ist sie schon!

Hallo, Marion! Komm rein. Bin gleich fertig! Moment!

Marion:

O.k.

Thomas:

Nimmst du eben ab?

Marion:

O.k.

Hier Marion bei Thomas ... Ja ... Moment, der zieht sich gerade an. Thomas! Hallo? Hallo! Hallo! Aufgehängt.

Thomas:

Wer war es denn?

Marion:

Eine Jacqueline!

———————— UNTERBRECHUNG ————————

Thomas:

Wir gehen dann wieder! Schönen Abend noch! Tschüs!

Leo:

Schön, diese Ruhe in einer eigenen Wohnung, ne?

Nina:

Na, Jacqueline ruft jedenfalls nicht mehr an!

Leo:

Noch ein bisschen Wein?

Nina:

O.k.

Leo:

Soll ich uns noch mal eine schöne Musik aussuchen?

Nina:

Hmm, gerne.

Leo:

Hör mal. Diese hier. Die finde ich so schön. Musst du deine Augen zumachen und einfach zuhören ...

Ich werde wahnsinnig!

Was ist denn jetzt schon wieder los?

Peter:

Gut, dass du zu Hause bist. Schlüssel vergessen. Hat es schon angefangen?

Leo:

Was?

Peter:

Das Fußballspiel, Mann! Deutschland : Portugal! Schnell, die Glotze an!

Leo:

Aber der Fernseher steht in meinem Zimmer!

Peter:

Klar. Gemütlich! Ich bringe eine Flasche Wein mit. Und gleich kommen noch ein paar Freunde von mir.

Leo:

Das darf doch nicht wahr sein!

Peter:

Stimmung!

Leo:

Mensch, Peter, ich wollte eigentlich einen ruhigen Abend ...

Peter:

Hee! Wo ist mein Wein?!

──────── UNTERBRECHUNG ────────

Peter:

Hee, wo ist mein Wein? Mein guter Rotwein? Komm raus, du Feigling*! Aufmachen! Aufmachen!!

Nina:

Bloß keine Panik!

Peter:

Bitte?

Nina:

Ich bin Nina! Moment!

Peter:

Entschuldigung.

Nina:

Ach, ich fühle mich hier schon wirklich wie zu Hause! Vielleicht bringe ich nächstes Mal meine Zahnbürste* mit!

Worterklärungen:

niedlich = so hübsch und lieb, dass man es sofort gern hat; engl.: *sweet, lovely*

Feigling = feiger, ängstlicher Mensch, jemand, der keinen Mut hat; engl.: *coward*

Zahnbürste = kleine Bürste mit langem Stiel, mit der man die Zähne putzt; engl.: *toothbrush*

Arbeitsschritte:

Wie beschrieben in der Einführung (1.6) und für Folge 5 (Achtung: drei Unterbrechungen!)

Weisen Sie darauf hin, dass zu Anfang dieser Folge Gedanken zu hören sind.

Antwortschlüssel Arbeitsblatt 15:

1. **b)** sich neben Nina setzen
2. **c)** Thomas
* **c)** dass Leo neben ihr sitzt

3. Leos Mutter
4. Sie sind zu jung.
* Er will sich etwas anderes anziehen.
5. **b)** Marion
6. **a)** noch ein bisschen Wein einschenken
   b) schöne Musik aussuchen
   d) aufhören zu reden
7. Peter
* seinen Rotwein
8. Peter
* Leo
9. ihre Zahnbürste

Folge 16 Pop-Song „Susanne"
Spieldauer: 4'41"
Unterrichtszeit: 35 Minuten

Wir sind das erste Mal alleine,
und ich mach für uns Musik.
Das Licht ist aus, es brennen Kerzen,
nun fehlt nichts mehr zu unserm Glück.
Niemand im Haus, der uns noch stört,
die Eltern kommen spät zurück.

Susanne, Susanne, Susanne,
ich bin ganz verrückt nach dir.

Zärtlich nehm ich ihre Hände,
streich ihr sanft dann übers Haar.
Will es beinah nicht glauben,
dass ich sie jetzt gleich küssen kann.
Auf einmal klingelt's Telefon.
Warum hab ich das blöde Ding vorhin
nicht abgestellt?
Ich heb ab und hör noch: „Verzeihung,
falsch gewählt."
Und ich denke bei mir selbst: Warum jetzt?
Warum ich? Warum?

Susanne, Susanne, Susanne,
ich bin ganz verrückt nach dir.
Susanne, Susanne, Susanne,
er ist ganz verrückt nach dir.

Wie soll ich jetzt neu beginnen?
Erst mal rutsch ich näher ran.
Ich fühl, gleich wird es mir gelingen,
dass ich sie endlich küssen kann.
Sie fragt, ob ich 'ne Cola hätt,
und ich denk: Warum denn jetzt?

Susanne, Susanne, Susanne,
ich bin ganz verrückt nach dir.

Wir sind noch immer ganz alleine,
doch die Musik ist jetzt sehr laut.
Die Stimmung ging schon lange flöten,
Frust hat sich aufgebaut.
Sie sagt: „Ich war jetzt lange da.
Ich muss gleich gehn."
Und ich sag: „Ja."

Susanne, Susanne, Susanne,
ich bin ganz verrückt nach dir.
Susanne, Susanne, Susanne,
er ist ganz verrückt nach dir.
Susanne, Susanne, Susanne,
ich bin ganz verrückt nach dir.

Text: F. Lancee, C. Bogman; Deutscher Text: M. Chambosse, © EMI Songs Holland B. V.

Didaktische Hinweise:

Anders als bei den Arbeitsblättern zum Hörspiel hat die Zeichnung auf dem Arbeitsblatt „Lied" eine rein dekorative Funktion. Sie ist nicht spezifisch für den Pop-Song „Susanne". Auf diese Weise können Sie das Arbeitsblatt auch für jedes andere Lied verwenden, das Sie im Deutschunterricht behandeln wollen. Außerdem wäre eine Zeichnung zur Einstimmung eine unrealistische Verständnishilfe, weil es beim Hören eines Liedes (abgesehen von Video-Clips) im Allgemeinen keine visuellen Verständnishilfen gibt.

Die Lernenden können mit dem Arbeitsblatt selbständig, z. B. zu Hause, am Lied arbeiten. Wollen Sie den Song lieber in der ganzen Lerngruppe besprechen, folgen Sie einfach den Arbeitsschritten auf dem Arbeitsblatt. Haben Sie weniger Zeit als oben angegeben, reduzieren Sie die Fragen nach Belieben. In jedem Falle sollten Sie das Lied zweimal vorspielen.

Arbeitsschritt 6 kann sehr gut auf eine folgende Unterrichtsstunde verschoben werden. Vermeiden Sie bei der Einführung, den Titel des Songs zu nennen (mit Rücksicht auf Frage 7 des Arbeitsblattes).

Arbeitsschritte:

1.
Kopieren von Arbeitsblatt „Lied"
Möglichst Bereitstellen von Wörterbüchern (✳ Frage nach 5.)

2.
Austeilen von Arbeitsblatt „Lied"

3.
Angeben, ob bzw. welche Teilnehmer die ✳ Fragen beantworten sollen
Die Teilnehmer lesen das Arbeitsblatt bis einschließlich Frage 2.

4.
Vorspielen des Liedes
Die Teilnehmer beantworten individuell die Fragen 1 und 2.
Kurze Besprechung der Antworten in der ganzen Gruppe oder in Kleingruppen

5.
Die Teilnehmer lesen die Fragen 3-5.
Zweites Vorspielen des Liedes
Die Teilnehmer beantworten individuell die Fragen 3-5.

(Bei der ✳ Frage dürfen Wörterbücher benutzt werden) Kurze Besprechung der Antworten in der ganzen Gruppe oder in Kleingruppen
Die Teilnehmer lesen die Fragen 6 und 9.

6.
Drittes Vorspielen des Liedes
Die Teilnehmer beantworten individuell die Fragen 6-9.
Kurze Besprechung der Antworten in der ganzen Gruppe
Besprechen Sie mit den Teilnehmern den Zusammenhang zwischen dem Song und der letzten Folge des Hörspiels.
Gibt es eigene Erfahrungen mit ähnlichen Situationen?

Antwortschlüssel Arbeitsblatt „Lied":

5. ja
6. Flirt (abhängig von der Interpretation der Begriffe, eventuell auch *Liebe* oder *Freundschaft*. Diskussion ist erwünscht!)

Sprachelemente und Variationen 1-15

Folge 1 – Dauer: 2'00"

Ich
Ich bin …
Ich bin ich.
Ich bin nicht meine Mutter.
Das ist meine Mutter.
Das ist meine Schwester.
Das ist Nina.
Ist das Nina?
Ja, das ist Nina.
Und das?
Wer ist das?

Das bin ich.
Das bin ich nicht.
Das ist mein Bruder.
Das ist meine Mutter.
Da ist meine Mutter.
Komm!

Moment!
Ich komme.
Keine Panik!
Ich komme.
Ich komme später.
Ich komme nicht.

Folge 2 – Dauer: 9'16"

A

Guten Morgen!
Ich heiße Maria.
Das ist meine Großmutter.
Meine Großmutter heißt auch Maria.
Meine Großmutter und ich heißen Maria.
Meine Mutter heißt Anna.
Meine Schwester heißt Hanna.
Hanna, nicht Anna.
Mein Bruder heißt Hans.
Und das?
Das ist nicht mein Vater.
Das ist mein Großvater.
Mein Großvater heißt auch Hans.
Und das ist mein Vater.
Ja, mein Vater heißt auch Hans.

Und du?
Wie heißt du?

B

Berlin
Hamburg
Ich wohne in Berlin.
Meine Mutter wohnt in Berlin.
Meine Schwester wohnt auch in Berlin.
Wir wohnen in Berlin.
Mein Bruder wohnt in Hamburg.

Und mein Vater? …
Mein Vater wohnt nicht in Hamburg,
auch nicht in Berlin.
Mein Vater wohnt nicht in Deutschland.
Mein Vater wohnt in Portugal,
in Lissabon.

C

null
eins … zwei … drei …
eins, zwei, drei …
vier … fünf … sechs …
sex? … sechs …
sieben … acht … neun … zehn.

Meine Schwester ist zehn.

elf … zwölf … dreizehn
Drei und zehn ist dreizehn.
vierzehn … fünfzehn … sechzehn … siebzehn
Sieben und zehn ist siebzehn.
achtzehn … neunzehn … zwanzig

Ich bin sechzehn.
Ich bin sechzehn Jahre.
Und du?

Zwanzig? Einundzwanzig? Zweiundzwanzig?
Dreiundzwanzig? Vierundzwanzig? Fünfund-
zwanzig? Dreißig? Du? Dreißig?! … Nein!

Sprachelemente und Variationen 1-15

(Fortsetzung von Folge 2)

vierzig … fünfzig … sechzig … siebzig …
achtzig … neunzig … hundert …
hundert Jahre
tausend … tausend Jahre!
hunderttausend Jahre

Meine Großmutter ist einundsiebzig.
Meine Mutter ist vierzig.
Meine Mutter ist neununddreißig.

D
Entschuldigung …
Wie spät ist es?
Wie spät?

Es ist drei.
Drei Uhr?!
Es ist fünfzehn Uhr.
Entschuldigung. Wie spät ist es?
Es ist halb acht.
Nein, es ist später.
Es ist acht.
Acht Uhr?
Ist es schon acht Uhr?
Komm, es ist spät.
Wie spät?
Es ist acht Uhr!
Es ist zwanzig Uhr.
Schon zwanzig Uhr?
Das ist spät!

Folge 3 – Dauer: 1'42"

Wo musst du hin?
Wo musst du denn hin?
Zur Schule?
Musst du zur Schule?

Ja, ich muss zur Schule.
Ich muss zum Bus.
Ich muss weg.
Ich muss gehen.

Entschuldigung.
Es ist schon spät.
Und du?
Wo musst du hin?

Ich muss zum Theater.
Ich muss zum Bus.
Wo ist der Bus?
Der Bus ist weg.
Ist der Bus weg?
So ein Mist!

Folge 4 – Dauer: 5'03"

A
Was bist du?
Was bist du von Beruf?
Was ist dein Beruf?
Bist du Taxifahrer?
Bist du Schüler?
Bist du vielleicht Lehrer?
Was bist du?
Sag schon!

Nein, ich bin kein Taxifahrer.
Ich bin kein Schüler.
Ich bin auch kein Lehrer.
Mein Vater ist Lehrer.

Meine Mutter ist Lehrerin.
Meine Mutter ist Deutschlehrerin.
Ich habe Glück.
Ich bin kein Lehrer.
Ich bin Krankenpfleger.
Ich bin müde.
Ich bin krank.
Ich muss nach Hause.
Ich muss schlafen.
Und du?

Ich muss zur Schule.
Ich bin Schülerin.
Ich gehe zur Schule.
Dann gehe ich zu meiner Mutter.
Meine Mutter arbeitet bei einer Bank.

Sprachelemente und Variationen 1-15

(Fortsetzung von Folge 4)

Mein Vater arbeitet beim Theater.
Meine Mutter und mein Vater arbeiten.

B

Wo ist das Taxi?
Wo musst du hin?
Wohin?
Zum Theater?
Nein, ich muss nicht zum Theater.
Ich muss zum Krankenhaus.
Ich bin krank.

Ach!
Ach du dickes Ei!

Wo ist das?
Wo ist denn das?
Beim Theater.
Das Krankenhaus ist beim Theater.
Das Krankenhaus ist rechts.
Wo jetzt?
Jetzt rechts.
Jetzt bitte rechts.
Dann links.

Links ist das Krankenhaus.
Da ist das Krankenhaus.
Danke!
Auf Wiedersehen!
Tschüs!
Viel Glück!

Folge 5 – Dauer: 4'37"

A

Guten Morgen!
Gut geschlafen?
Haben Sie gut geschlafen?
Ja?
Ach ja?
Das ist gut.
Und ich?
Ja, danke.
Ich habe gut geschlafen.
Ich habe nicht gut geschlafen.
Ich habe heute nicht gut geschlafen.
Ich bin müde.
Ich gehe schlafen.
Schlafen Sie gut.

B

Bitte Ruhe!
Ruhe bitte!
Also bitte!
Jetzt bitte Ruhe!
Also bitte Ruhe, ja?

Die Hefte, bitte!
Die Arbeitsblätter …
Die Bücher …

Nehmen Sie die Bücher.
Bitte nehmen Sie Ihre Bücher.
Jetzt bitte die Bücher.
Lesen Sie!
Bitte lesen Sie!
Lesen Sie bitte!
Lesen Sie bitte den Text!
Auf Seite 5.
Bitte lesen Sie den Text auf Seite 5.

Das ist gut. (2x)
Das ist sehr gut. (2x)
Das ist nicht so gut.
Bitte noch einmal!
Bitte lesen Sie noch einmal!
Bitte wiederholen Sie!
Versuchen Sie es!
Versuchen Sie es noch einmal!

C

Verstehen Sie?
Verstehen Sie mich?
Verstehen Sie das?
Ich verstehe.
Ich verstehe Sie.
Ich verstehe Sie gut.
Ich verstehe Sie nicht.
Ich verstehe das nicht.

Folge 6 – Dauer: 2'23"

Guten Morgen!
Guten Tag!
Das Telefon ...
Die Nummer ...
Die Telefonnummer ...
Ihre Telefonnummer?
Was ist Ihre Telefonnummer?
Kann ich Sie anrufen?
Kann ich Sie sprechen?

Bitte?
Wie bitte?

Vielleicht ...
Nein, nicht vielleicht ...
Ich muss Frau Lehmann sprechen. (2x)
Ist sie zu Hause?
Ist sie nicht zu Hause?
Schade!
Das ist schade.
Und ihr Mann?
Kann ich ihren Mann sprechen?
Kann ich Ihre Frau sprechen?
Wie bitte?
Moment bitte!
Ich rufe sie.
Sie kommt.

Folge 7 – Dauer: 2'07"

Leise!
Leiser!
Noch leiser!
Bitte leise!
Bitte sei leise!
Bitte mach die Musik leise!
Die Musik ist leise.
Die Musik ist nicht leise.
Die Musik stört mich.

Bitte stör mich nicht.
Warum?

Ich muss arbeiten.
Ich muss üben.
Ich muss lesen.
Ich muss telefonieren.
Ich muss sprechen.
Ich muss leise sprechen.

Folge 8 – Dauer: 4'37"

A

Der Tag ... die Tage ... die Wochentage
Montag ... Dienstag ... Mittwoch ... Donners-
tag ... Freitag ... Samstag ... Sonntag
Guten Tag!
Wie geht's?
Wie geht es dir?
Wie geht es Ihnen?
Danke, gut.
Danke, es geht mir gut.
Und Ihnen?
Wie geht es Ihnen?

Es geht.
Es geht so.
Es geht mir nicht so gut.
Es geht mir nicht gut.
Es ist Montag.
Montags geht es mir nicht gut.
Schade!
Das macht nichts.
In fünf Tagen ist Samstag.
Samstags geht es mir gut.
Samstags und sonntags geht es mir gut.

B

Wann kommen Sie?
Kommen Sie diese Woche?

Sprachelemente und Variationen 1-15

(Fortsetzung von Folge 8)
Kommen Sie am Dienstag?
Oder am Mittwoch?
Wann kommen Sie am Mittwoch?
Ich weiß nicht.
Vielleicht komme ich.
Vielleicht komme ich nicht.
Vielleicht komme ich am Mittwoch.
Vielleicht am Donnerstag.

Dann bis Donnerstag?
Bitte kommen Sie am Donnerstag.
Dann sehe ich Sie?
Dann sehe ich Sie wieder.
Auf Wiedersehen?
Auf Wiedersehen!
Auf Wiederhören!
Bis dann!
Bis Donnerstag!

Folge 9 – Dauer: 4'15"

A

Sag mal …
Kann ich das Auto haben?
Kann ich dein Auto haben?
Mein Auto? (2x)
Wann denn?
Morgens?
Abends?
Nur abends.
Montagabend.
Dienstagabend.
Nein, Mittwochabend.
Ja oder nein?

Nein, tut mir Leid.
Am Mittwoch brauche ich mein Auto selber.
Schade!
Das ist schade.
Und dein Fahrrad?
Kann ich dein Fahrrad haben?
Nur dein Fahrrad.
Von mir aus.
Du kannst mein Fahrrad haben.
Danke!

Vielen Dank!
Das ist nett von dir.

B

Ist das dein Freund?
Ja, das ist mein Freund.
Mein Freund hat einen Bart.
Er hat blonde Haare.
Und das?
Ist das deine Freundin?
Ist das deine neue Freundin?
Wer ist deine Freundin?
Meine Freundin hat kurze Haare.
Braune Haare.
Dunkelbraune Haare.
Und grüne Augen.
Ist das deine Freundin? (2x)

Oder ist das deine Kollegin?
Nein, das ist meine Freundin.
Meine Freundin ist groß.
Meine Kollegin ist klein.
Meine Kollegin hat einen Freund.
Einen netten Freund.
Schade?
Schade!

Folge 10 – Dauer: 3'57"

A

Was soll ich tun?
Was soll ich anziehen?
Das Kleid? Die Hose? Die Jacke? Den Pullover? Das T-Shirt?

Blau? rot? gelb? grün? schwarz? weiß?
Ich weiß es nicht.

Wo ist meine Hose?
Wo ist bloß meine Hose?
Wo ist meine schwarze Hose?
Und mein Pullover?

Sprachelemente und Variationen 1-15

(Fortsetzung von Folge 10)

Wo ist mein Pullover?
Mein blauer Pullover …
Weisst du, wo mein blauer Pullover ist?

Nein.
Nein, tut mir leid.
Es tut mir leid.
Ich weiß es nicht.
So ein Mist!

B

Willst du meine Jacke anziehen?
Willst du meine rote Jacke anziehen?
Rot ist sexy.
Ich finde rot sexy.
Und du?

Quatsch!
Deine Jacke ist nicht sexy.
Deine Jacke ist doof.
Aber dein T-Shirt.
Wo ist dein T-Shirt?
Ich will gerne dein weißes T-Shirt anziehen.
Ja?

Ja, klar.
Aber pass auf!
Pass gut auf!
Das T-Shirt ist neu!
Es ist ein neues T-Shirt!
Klar!
Das ist nett von dir!
Das ist riesig nett!

Folge 11 – Dauer: 3'20"

Sie lesen.
Lesen Sie!
Sie lesen den ganzen Abend.
Sie lesen zu viel.
Kommen Sie!
Kommen Sie mit!
Kommen Sie mit ins Theater!
Kommen Sie mit ins Kino!
Der Film ist gut.
Ich finde den Film gut.

Die Musik
Die Musik ist schön.
Die Musik ist sehr schön.
Hören Sie!

Wie finden Sie die Musik?
Sie finden die Musik nicht gut?
Schade!
Das finde ich schade.
Ich höre gerne Musik.
Hören Sie gerne Musik?
Lesen Sie gerne?
Ich lese gerne.
Ich tanze gerne.
Und Sie?
Tanzen Sie gerne?
Haben Sie Lust zu tanzen?
Haben Sie Lust, mit mir zu tanzen?
Kommen Sie!
Ich habe Lust zu tanzen.
Ich habe Lust, mit Ihnen zu tanzen!
Kommen Sie!

Folge 12 – Dauer: 1'53"

Guck dir das an!
Es regnet.
Es regnet den ganzen Tag.
Was für ein Wetter!
Gutes Wetter?

Schlechtes Wetter!
Kein Problem.
Das macht nichts.

Doch!
Das ist ein Problem.

(Fortsetzung von Folge 12)

Das ist ein großes Problem.
Ich habe ein Problem.
Wir haben ein Problem.

Das ist wahr.
Das ist nicht wahr.

Das darf nicht wahr sein!
Guck mal!
Es regnet nicht mehr.

Folge 13 – Dauer: 3'30"

A

Was möchten Sie?
Möchten Sie ein Eis?
Möchten Sie vielleicht ein Eis?
Ja, natürlich!
Ja, gerne!
Eine gute Idee!
Ich möchte gerne ein Eis.
Ich möchte gerne ein großes Eis.
Ein großes Schokoladeneis.
Ich möchte gerne eine großes Schokoladeneis.

B

Was kostet das?
Das kostet vier Mark.
Das kostet vier Mark fünfzig.
Vier Mark fünfzig?
Das ist viel Geld.

Haben Sie Geld?
Natürlich habe ich Geld.

Und du?
Was möchtest du?
Ich möchte kein Eis.
Nein danke, ich möchte kein Eis.
Ich möchte meine Ruhe.
Ich möchte gerne meine Ruhe.
Bitte geh!
Bitte gehen Sie!
Bitte gehen Sie jetzt!
Bitte gehen Sie schnell!
Entschuldigung!
Ich gehe schon.
Ich gehe mit Ihnen.
Das möchte ich nicht.
Nein danke, das möchte ich nicht.
Das möchte ich wirklich nicht.

Folge 14 – Dauer: 5'39"

A

Ich möchte etwas trinken.
Was möchten Sie trinken?
Champagner?
Wein?
Bier?

Nein danke.
Haben Sie auch Kaffee?
Ich möchte einen Kaffee.
Nein, keine Milch.
Ich trinke den Kaffee ohne Milch.
Ich trinke den Kaffee schwarz.
Und Sie?

Was trinken Sie?
Trinken Sie auch Kaffee?

Nein, ich trinke Wein.
Ich trinke gerne Wein.
Ich trinke Wein mit Wasser.
Rotwein?
Oder Weißwein?
Rotwein, bitte!
Ich nehme Rotwein mit Mineralwasser.
Ein bisschen Wasser.
Nur ein bisschen!
Nicht zu viel!
Prost!

Möchten Sie etwas essen?

(Fortsetzung von Folge 14)

Ja, gerne!
Ich habe Appetit.
Nein, danke!
Ich habe keinen Appetit.
Die Karte?
Geben Sie mir bitte die Karte.
Was steht auf der Karte?
Spaghetti!
Ich esse gerne Spaghetti.
Ich nehme Spaghetti.
Die Spaghetti sind sehr gut.
Guten Appetit!

B

Wo wohnen Sie?
Wohnen Sie bei Ihren Eltern?
Wohnen Sie bei Ihrer Freundin?

Nein, ich wohne alleine.
Ich wohne gerne alleine.
Sind Sie verheiratet?
Sie sind verheiratet? (2x)
Nein, natürlich nicht.
Ich bin nicht verheiratet.
Sind Sie alleine?
Nein, ich bin nicht alleine.
Ich wohne nur alleine.
Ich habe Freunde.
Ich habe viele Freunde.
Und eine Freundin.
Eine gute Freundin.
Eine sehr gute Freundin.
Vielleicht heiraten wir.
Vielleicht heiraten wir dieses Jahr.
Na dann, viel Glück!

Folge 15 – Dauer: 2'04"

Was soll ich tun?
Soll ich kommen?
Soll ich gehen?
Soll ich anfangen?
Soll ich anrufen?
Soll ich anmachen?
Soll ich die Musik anmachen?
Ja, bitte!

Machen Sie die Musik an.
Die Musik ist schön.
Die Musik ist sehr schön.
Hören Sie zu!
Bitte, hören Sie zu!
Sie sollen zuhören!
Einfach zuhören!
Machen Sie die Augen zu!
Und hören Sie einfach zu!

Das neue
Lehrwerk für
Jugendliche

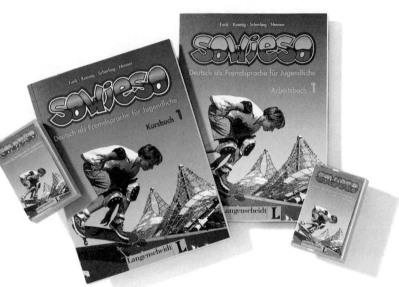

Was ist neu an »sowieso«?

In **sowieso** erfahren die Schüler etwas über ihren eigenen Lernprozess.
Von Anfang an erwerben und üben sie bewusst **systematische Lernstrategien** und werden so zu selbständigen und autonomen Lernern.

Wie ist das Kursbuch aufgebaut?

Das Kursbuch enthält **24 kurze und anregende** Kapitel, die in einzelne Unterrichtsphasen gegliedert sind, jeweils mit einem bestimmten Schwerpunkt: Lesen, Hören, Sprechen, Schreiben und Grammatikarbeit.

Was beinhaltet das Arbeitsbuch?

Es besteht aus einem lektionsbegleitenden Teil mit Übungen zu den Einheiten des Kursbuchs und einem lektionsunabhängigen Teil, der Lernstrategien zu den verschiedenen Fertigkeitsbereichen vorstellt und trainiert.
Alle regionalen Arbeitsbücher beginnen mit dem **Kapitel „Lernen lernen"** in der Muttersprache.

Welche Hilfe bietet das Lehrerhandbuch?

Im Lehrerhandbuch wird das gesamte Kursbuch etwas verkleinert abgebildet.
Unterrichtshinweise stehen am Rand und beziehen sich direkt auf die jeweilige Kursbuchseite.
Im ausführlichen Anhang gibt es weitere Informationen, den Schlüssel zu den Übungen des Arbeitsbuchs und zusätzliche Kopiervorlagen.

Was gibt es noch?

Cassetten, Folien, Tests, Glossare und regionale Arbeitsbücher.